新潮文庫

小僧の神様・城の崎にて

志賀直哉著

目次

小僧の神様・城の崎にて

佐々木の場合

亡き夏目先生に捧《ささ》ぐ

君は覚えているかしら、僕が山田の家《うち》に書生をしていた事は。君が国の中学にいる頃だ。まあそれはどうでもいい。僕が山田の玄関番をしながら士官学校の入学準備をしている時だ。……僕はお嬢さんの守《も》り児《こ》と関係したんだ。僕より三つ位下だった。多分十六だったと思う。その時は余り大きな方ではなかったが、それでも身体《からだ》のいい、顔は普通だったが何処《どこ》か男を惹《ひ》きつける所のある娘だった。僕も初めての経験だし、割に上《の》ぼせていたが、何しろ相手が気の小さい奴で他人に対し余りびくびくするので僕はよく腹を立てた。夜僕はよく漬物臭い物置きで待ちぼうけを食ったものだ。薄ぎたない逢引《あいびき》だが、守っ児と玄関番の恋だから仕方がない。これと云う長所もない奴だが、無闇《むやみ》と従順なんだ。これが長所と云えば長所だが、同時に如何《いか》にも勇気のないという欠点になって、それでは随分がみがみ怒ってやった。

二タ月位無事に経《た》った。女中で少し位感づいた奴があったかも知れないが、まあ何事もなく経った。歳暮《くれ》近かった。その頃屋敷では主人のお母さんの隠居所を建てるので毎日大工や何か七八人入っていた。そして仕事が済むと、鉋屑《かんなくず》や木端《こっぱ》でたき火をして、いっぷくやるのが毎夕の例になっていた。左官の泥練りをやっている滑稽《こっけい》な爺《じじい》がいて、これがよく話の中心になって、若い時分の吉原とか根津の話をして皆《みんな》を喜ばしていた。そんな話に興味を持つ事は如何にも気がとがめたが、未《ま》だ知らないそういう世界の事は中々僕の好奇心を惹く。時々何気なく僕もその仲間に入って火にあたっていた。そして皆が帰る時水を掛けて行くのを時には僕が引きうけて後まであたってから消す事もあった。

或夕方だった。僕も一緒にあたっている時、富《とみ》が僕を呼びに来た。主人の使いで直ぐ築地まで行ってくれというのだ。しゃがんでいた僕は直ぐ起《た》って来た。富もついて来た。「そう直ぐ逃げて行くもんじゃないよ」と泥練の爺が呼びかけた。「お前に惚《ほ》れてるのが泣くよ」皆がどッと笑った。富は僕を追い抜いて耳まで赤くして先へ馳《か》けて行った。僕は自分も一緒に侮辱された様な気がした。そして何だか富に腹が立った。僕はその晩富に怒ったが、自分でも何を怒っているのかよく解《わか》らない位だから、富は何で怒られるのか解らず、妙な顔をしていた。それでも怒られたので弱っていた。

守りの名は富と云うのだ。こんな事があってからは決して皆のいる間《あいだ》は来なくなったが、帰って了《しま》うと時々お嬢さんを連れてあたりに来た。お嬢さんは五つ位だったかしら、ひどいすが眼で顔だちも痩《や》せて妙に鋭く、性質もいやにひねくれていた。かなり感じの悪い児だった。僕は一体子供好きでない方でもあったが殊《こと》にこのお嬢さんは大嫌いだった。お嬢さんも僕を嫌っていた。嫌い以上妙に恐れていた。僕は全く御愛想らしい事も云わなかったし、どうかして、本でも見ている時部屋へ来ると可恐《こわ》い顔をして睨《にら》む事も実はあった。ところで妙な事はこのお嬢さんがこんな子供の癖に僕と富との関係を知っているような気がしてならなかった事だ。此方《こっち》の気のせいかと思う事もあったがそうでない場合がよくあった。とにかく僕と富とが会う事は非常に厭《いや》がっていた。富は又こんな厭な児だったが、他《ほか》からは考えられない程に愛しているのだ。このお嬢さんも随分駄々をこねていじめもしたが又心から富になついてもいたのだ。この関係は全く不思議に見えた。お嬢さんが余り云う事を諾《き》かないと云って富が泣いて云う愚痴を僕はよく聴いた。とても自分には勤まらないからお暇を貰《もら》う、こんな相談も二三度受けた。そんな場合大概賛成してやるのだが、少したつと富は全く忘れたような顔をしているのが常だった。僕にとって富とお嬢さんとを一緒に眺める事は気分の上で如何にも不調和でかなわなかった。又お嬢さんは何の事かよく解らないまでも僕と富との関係に或嫉妬《しっと》を抱いていたし、僕にも同じ物が働いて、見た感じ以上にお嬢さんを厭に思っていたのが本統だ。僕は僕達の関係にお嬢さんと云うものが呪《のろい》のようにつきまとって来そうな気がした事がよくあった。お嬢さんは子供ながら意識してよく邪魔をした。然しそれはともかくとして、お嬢さんに全く意志がなく偶然邪魔する事になる場合が実際度々あったのだ。これが何だか気味の悪い気持をさした。

僕達が逢引に一番いい時は主人の家族が入った後、風呂の湯が少くなるので又火をたくその時だ。その掛りは大概富が引き受けていた。その頃になれば大概はお嬢さんは眠って了うからでもあった。僕達はよくその時を利用した。ところが妙にそう云う時眠った筈《はず》のお嬢さんが眼を覚して泣き出すのだ。「富。富」奥さんの呼ぶ声がする。「お富さん」こう他の女中が一緒になって呼ぶ。僕はこれを聴くといつも厭な気持になった。富はそれ程に思わないようだったが、僕には何かが故意にそれをするとしか思われなかった。富は毎時《いつも》おどおどしながら未練気もなく僕を残して行って了う。僕は富にも腹が立った。

実際富の弱虫には弱った。その上二人のしている事を全然罪悪と思い込んでいるには閉口した。僕は二人の関係が只の所謂《いわゆる》いたずらな関係ではないのだ、僕が少尉か中尉になれば必ず正式に結婚するのだからと何遍いって聴かしたか知れない。富もそれは非常に喜んでいたが、やはり悪い事をしているという気はどうしても抜けなかった。とにかく古臭い型にはまった女なのだ。只の下らない女なのだ。然しそれで、僕には少しも悪くはなかったのだ。何かしらん愛さずにはいられないものがあった。僕は殆《ほとん》ど、のべつ怒ってはいたが憎んだ事は只の一度もなかった。富も怒られながら少しも不平を持とうとはしなかった。只お嬢さんに対し、僕がいい感じを持っていない事だけは、云いはしなかったが、苦の種にしていたようだ。それにしろ富は一体に暢気《のんき》な気分でいた。それに較《くら》べると僕の心は絶えず騒いでいた。それは主《おも》に嫉妬だが、今思えばどれも下らない嫉妬だったようだ。主人に対してもそんな気を持ったし、もう五十位になる抱車夫がいて、それにもそういう不快を感じた事があった。一々数え立てるのは下らないからよすが、何もない関係ならば総《すべ》て見逃している事がらが一々感じられるからなのだ。実際淡いながら、それは在る事なのだから仕方がないには仕方がないのだ。それから主人方《がた》の富に対する使い方に僕はかなり神経質になった。そんな事は他の奴にさせればいいのにと思って不愉快を感じる事がよくあった。僕は自分に対する使い方には割に寛大でいられたが富の事はそうは行かなかった。然《しか》し他の女中の事だと平気でいられる点でその気持も身勝手なものとは自分でも認めていた。

歳暮《くれ》も押しつまった或夕方の事だった。大工共の例の焚火《たきび》の集会が済んで、僕一人受験問答の本を見ながら其処《そこ》に残っている時だった。富がお嬢さんを連れてやって来た。僕は何か少し癪《しやく》に触っている事があって、いきなり、

「弱虫」と一寸《ちよつと》からかうとも怒るともつかぬ調子で云った。富は又怒られるのかと思ったらしく少し不安な顔をしかけたが、なるべく笑談《じようだん》にして了おうとするように、

「強虫さん」と媚《こ》びるような眼付をして云い返した。

「馬鹿」

「お利口」

富の身体に倚《よ》りかかって、黙って上眼使いをして二人の顔を見較べていたお嬢さんが不意に、

「佐々木馬鹿。佐々木馬鹿」と腹からの悪意を示して罵《ののし》るように云い出した。

「お嬢様。そんな事おっしゃってはいけません」富がお嬢さんをたしなめた。僕は只苦い顔をしていた。

お客で閉め残して置いた座敷の雨戸を閉めに行かなければならないと思ったがその前に富に強い接吻をしてやりたいという欲望が僕には強く起っていた。二人の関係では主《おも》なものは接吻だと云えた。二人にはそうゆっくり話している時間はなかった。僅《わずか》な時間に現す愛情は実際接吻よりなかった。しかし僕の接吻は甚だ乱暴だった。立っていて、被《お》いかぶさるようにしてぐいと抱き締めてやる。小さい富はよく、うッと唸《うな》った。

「一寸これを読んで見ないか」こう云って僕は落ちていた釘《くぎ》を拾った。

「何？　……お嬢様一寸」富は倚り掛っていたお嬢さんをちゃんと立たして寄って来

た。

「いいかい」僕は地面に「ヨオアル」と書いた。

富はそれを見たまま首肯《うなず》いた。少し笑っていた。

「それから」と僕は又「スグコイ」と書いた。ところが富は笑ってだけいて首肯かなかった。僕は「バカ」と書いた。そしてにらんでやった。富は当惑したような顔をして眼でお嬢さんが居るから駄目だと云う。僕はこういう時、中々思い返せない悪い癖がある。僕は怒った顔をして今書いた文句を消すと黙って其処を起って行った。実際怒ってもいたが、そうすれば気の弱い富は来ずにいられない事を知っているのだ。

例の黴臭《かびくさ》い物置へ行って待っていた。すると案の定、直ぐ富は心配顔をしてやって来た。そして歎願《たんがん》するように小声で、

「キッスだけよ」と云った。

「当り前だ」

義務的なのが癪に触ったから、富が背延《せの》びをし、あごを突き出し接吻しようとするのを故意《わざ》と届かないように此方《こっち》も上を向いて置いて力を入れてぐいと抱き締めてやった。富は苦しがった。

女中の悲鳴が聴えた。二人は驚いて物置を飛び出した。お嬢さんがたき火――既に

おきにはなっていたが其処に仰向様《あおむけざま》に倒れている。直ぐ抱き起したが、もう気を失っている。毛がこげるのか肉が焼けるのか変な臭《にお》いがした。傍《そば》に大工が仮りに作った坐りの悪い椅子《いす》が倒れていた。それに乗って仰向けに倒れたらしい。そしてその時後頭を打って脳震盪《のうしんとう》を起したに違いない。そうでなければいくら子供でもそれ程にならない中《うち》に火から這《は》い出す位はしなければならない。何しろちゃんちゃん児の肩が燃え抜けていた。綿のプスプス燃えるのは中々消えない。もみ消そうとしたがいけないので直ぐ脱がしたがその時はもう肩の後をかなり甚《ひど》く焼かれていた。頭だけは幸に火の端へ行っていたからそれ程ではなかったが、それでも襟首の上が焼け爛《ただ》れて、其処は後《あと》も毛が生えなかったそうだ。暫《しばら》く人事不省だったが気がついてからも、二三日はわからなかった。実際よく死ななかった。一家の騒ぎは想像して貰いたい。

何しろ弱った。僕の心は甚いぐらつき方をした。普段からお嬢さんを嫌いだっただけ一層妙な苦しみ方をした。僕はお嬢さんに対し非常に気の毒な事をしたと思った。然しそう思う事によっても僕の心に愛情は湧《わ》き上って来なかった。この意識は非常に気持が悪かった。僕はこうしてはいられない気がした。第一総ては富の落度になった。富の弱り方と来てはそれは又甚かった。半気違いのようになって了った。飯も殆ど食わなくなった。気の小さい奴の事で自殺でもしはしまいかという不安に僕は襲われた。

然し話をする機会がなくなった。それが有ったにしろ眼中にないように富はもう僕によそよそしくなって了っていた。幸に自殺はしなくても気違いになりはしまいかと心配した。僕は何も彼《か》も主人の前に懺悔《ざんげ》したかった。然し二重に富を苦しめる事を思うと、それも出来なかった。

医者は肩の火傷《やけど》はとてもこのままでは肉の上《あが》る見込はないと云ったそうだ。唯一《ゆいいつ》の療法は他人の肉を切り取って来てそれで其処をおぎなうのだと云ったそうだ。聴いた時僕はそれを僕の身体から取ってくれと申し出ようと思った。そうせねばならぬと思った。然し正直にはそれは強迫されて思うので進んで出たい気を起しているのではなかった。話によると尻《しり》ぺたの肉を取るのだそうだ。そしてそれを取られた跡は多分窪《くぼ》みになって残るだろうと云う事だった。こうなると恥かしいが僕の心では急にイゴイスティックな方面が眼を覚した。それが事件の中に没頭していた自分を広い野原に連れ出すような事をした。僕はこの事件を大きいものの一部分として見るような気持になった。これが正しい事かどうか云えない僕は、今自分が士官学校の入学準備をしている事を考えた。若《も》し肉の窪みの出来る事が体格試験に影響しないものならそれは恐ろしい事でも何でもなかった。然しこの事件の為《ため》に生涯の目的を変える事は恐ろしかった。今はそれはそうではない。然し二十歳《はたち》前の目的に対する執着からは僕はとても超越出来なかった。

そして富がその申出をした。どうか許可してくれと願い出た。僕はほッと息をついた。僕は自分をずるいと思った。然し富の為にもそれはいいと思った。そんな事でもしなければ弱い、そして正直な富の心は到底少時《しばらく》の安静も得られなかったに違いない。主人の方では最初直ぐにも富を追い出すつもりらしかったが、石川県の親元へ無断でも出せないと云うような事で、その知らせを出して返事を待っている時だった。然し富の実際苦しみぬいている様子は誰の眼にも解ったから主人夫婦も最初一時に来た怒りを通り越すと、互に口には出さなかったが余程心は解けていた。それにしろそのまま使う気はなかったのは勿論《もちろん》だが、その内人肉の必要が起った時奥さんはそれは当然富から取っていいと云うような事を云ったそうだ。然し主人はそんな事は出来ないと反対したそうだ。何でもその事は医者に一任したらしい。ところへ、富が願い出た。それは心からそう云って出た事が解った。それで主人の心はすっかり解けた。

僕が不意に国に帰って来たのを君は覚えているかしら。隠していたが実は逃げて来たのだ。僕はとても何食わぬ顔をして其処にいる事は出来なかった。富はもうよくよく懲《こ》りた。その後《ご》は一切僕と口もきかなくなった。富の考では僕との関係がこの不幸を生んだ総てなのだ。前からそれに良心を痛めていた富がそれを堅くそう思って了《しま》ったと云う事はどうにもならなかった。僕は責任のがれをしようと云う気は実はなかった。お嬢さんも気の毒に思った。然しそれよりも富に対する責任は果したい気が強かった。僕は何時《いつ》かきっとそれを果してやろうと思った。それを富に云って僕は其処を出たかった。然しとうとうその機会はなかった。腹の底から懲りて了った富はそう云う機会をどうしても僕に与えないようにしていた。富がその手術を受ける為に入院した多分二日目かに僕は山田の家を逃げ出して了った。それはまずい結果を残したに違いない。然し平気で其処に居るのはもうとてもかなわなかったのだ。

それからの事は細々《こまごま》と云う程の事もない。僕に就ては君も知っている通りだ。(佐々木は大尉の時大使館付きになって露西亜《ロシア》に行って多分七八年いて、つい近頃帰って来たのである。)然しその間僕は富の事を忘れはしなかった。それ程強く考えないでも忘れはしなかった。度々《たびたび》結婚も勧められたが皆断《みんな》っていたのもその為で、日本にいる間一度も会う機会はなかったが、富の事はそれとなく知っていた。富は誰にでも愛される性《たち》ではあったが肉の事から主人夫婦も心から富を愛するようになってそのままお嬢さんのお附きとして山田の家《いえ》に居ついて了ったのだ。

其処で話は急に近い事になるが、一週間前だ。偶然銀座通りでお嬢さんを連れた富を見掛けたのだ。日本にいる間一度も会う事の出来なかった奴が七年目に外国から帰って来ると直ぐぱったり出会うのも一寸不思議な気がした。様子も変っていたし、先方《むこう》は勿論此方《こっち》を忘れていた。然し僕はお嬢さんで気がついた。二十か二十一位になっていた。幼顔もだが、襟首から頰へかけた火傷《やけど》のひっつりが僕に憶《おも》い出させると同時に富も直ぐ分った。全く変って了った。小さい女だったが今は人並以上大きい女になっていた。君は常陸山《ひたちやま》の死んだ細君を知っているかね。性質から来る感じは異《ちが》うにしろ、一寸ああ云う風だ。三十二三だ。子供を生まない為か何処《どこ》か若々しい所があって、それに安心の状態に居る人らしい落ちつきが見える。僕は如何《どう》しようかと思った。僕の富から受けた印象は非常によかった。それまでは責任は果そうという気が寧《むし》ろ先に立って忘れずにいたのだが、その時今更に新しい感情の湧き起るのを僕は感じた。廻りくどい事をするよりともかく直接会いたいと云う気が強くした。二人は女物を専門に売る唐物屋《とうぶつや》へ入って了った。僕は少し離れた所に立って出て来るのを待っていたが二人は中々出て来ない。富一人だけだったら僕は多分何時までも其処に待っていられたろう。然しお嬢さんが一緒なのが僕の心を暗くした。僕は妙にお嬢さんが恐ろしかった。いつか電話を掛けて電話で話をしようと思った。

その晩山田へ電話を掛けて見た。富が電話口に出て来た。それがまるで別人のような気が僕にはした。昼間案外若々しく思った富を今度は大変年を取った女のように感じた。僕は取次に明かに名を云わなかったから相手の知れない不安からもそうなったかも知れない。いやに切口上で物を云っている。

「十六年前に御別れした佐々木です」こう云った。余程驚いたらしい。富にとって僕の名は殆ど凶事を意味していたに違いない。何とも返事をしない。僕は是非一度会って話したいと云った。まだ黙っている。僕も黙って了った。両方で黙っている時間が一寸あった。すると不意に、

「何処で御会い致すのですか」と云った。凡《およ》そ艶《つや》のない調子だった。

「何処でもかまいません。然し出来る事なら宿へ来て貰《もら》うと都合がいいんです。明日《あす》どうですか」一寸考える風だったが、

「参れましたら上りましょう」と云った。

宿を教えて時間をきめて電話をきった。

余りに不愛想なので僕は一寸ぼんやりする程興覚めがした。何と云う事もなく僕は自分が今幸福な身の上だと云う気がしていた。勿論世間並な意味でだが。そして富は女として不幸な境遇に居る者として考えていた。そして僕は自分が富に交渉して行くのは幸福な者が不幸な者を救おうとしているのだと云う風に考えていた。何となくそんな気持でいた。ところが今の対話はそれと全く反対な感じを与えた。幸福に暮して

いる者に対し昔の関係を楯《たて》にそれを攪乱《かくらん》しようとする者のように自分が見えた。

翌日待っていたが、とうとう待ちぼうけを食わされた。電話もかかって来なかった。その晩又電話を掛けたがお嬢さんと芝居見物に行って留守だと云う事だった。嘘《うそ》ではないらしかった。

その翌日も何の音沙汰もなかった。これは直接では駄目だと思って、もう電話も掛けなかった。すると翌朝《よくあさ》手紙が来た。

要はやはり御会いするのはよそうと決心したと書いてあった。自分は今は尼のような気持でいる。お嬢様は未《ま》だ御縁がなく淋しい御心で居られる時に何事がなくても貴方と御会いする様な事は心にとがめる。若し手紙で済せられる用だったら、どうか同封の封筒で手紙に書いて云って貰いたいと云うような事だった。自分で書いたらしい女名前の封筒が二枚入っていた。一枚でないのが愉快な気がした。そして手紙の追白にどうか電話は今後掛けて下さらないようにと書いてあった。相変らずの弱虫だと思った。

昼間は忙しかったので晩になって僕は長い手紙を書いた。二日程してその返事が来た。又僕から出した。

要するに富は僕との関係を心の底から悔んでいるのだ。それがお嬢さんの生涯をだ、いなしにして了ったと思い込んでいるのだ。自分はもう如何《どん》な事があっても再び男との関係は作るまいと決心している。そしてそれは御隠居様にも主人夫婦にもお嬢様にも誓っている事で、殊《こと》に奥様とお嬢様だけにおなりになった今、長い間非常によくして下さって、もう生涯困らないようにして頂いてからそう云う事を仕でかすのはとても自分の心に許せない。同様に世間からも許されない事と思う。貴方《あなた》は私を大変に気の毒がって下さるけれども私は今少しも不幸ではない。只お嬢様にいい御縁のないだけが自分の不幸であると云うのだ。そして実は貴方に逃げ出された時には悲しい気がした。自分は貴方が口程にもない薄情男であると思って怨《うら》みました。然し御別れしてからの事を御手紙で知って今は大変ありがたく思っている。それで私は満足しました。私もどうせ今は普通の女のような身体ではないから、貰い手もないし又行く気もないから一生お嬢様の御傍《おそば》で働くつもりでいます。どうか自分の事は忘れて早くいい奥様を御貰いになって楽しい家庭を作って頂く、それが反《かえ》って自分の慰めである。

こんな事を云っている。総てが非常に尤《もっと》もなのだ。総てが余りに紋切型に尤もなので僕には歯がゆくてならない。僕は会えばどうにかなると思っているのだ。然し手紙では若し自分の思っている事をどんどん書けば先方《むこう》を尚可恐《なおこわ》がらすだけだと思うのだ。だからそうも書けない。実は今どうしたらいいかと思っているのだ。実際歯がゆいではないか。二度出したら、もう封筒もないし、そのままにしているが、手紙ではもう駄目だと思うのだ。

僕はお嬢さんに良縁があってからなら如何《どう》なのだと書いてやった。然しそれには返事をして来ない。第一お嬢さんは結婚出来るかどうかわからない。髪で隠してはいるが頭の後はかなり甚《ひど》い禿《はげ》になっているとも云うし、とても駄目かも知れない。とうとう僕はお嬢さんに呪《のろ》われとおすかも知れない。どうかこんな身勝手な事を云うのを悪く思わないでくれたまえ。

佐々木は今その女の心をさえぎっているものは紋切型な道義心と犠牲心とで、それをとり除く事が出来れば問題は解決すると思っているらしい。そしてその道義心と犠牲心に余りに価値を認めない点が、佐々木も可哀想《かわいそう》だが、自分には少し同情出来なかった。自分もそれらをそう高く価《あたい》づけはしない。然し佐々木はそれを余りに低く見ていると思った。そして仮令《たとえ》消極的な動機からにしろその女が信じた事を堅く握り締めているその強さに自分はいい感じを持った。佐々木には今の自身の位置を誇る気さえ多少ある。それは無理はない。然し佐々木の妻になる事が必ずしもその女の幸福を増す事になるとは自分は考えない。佐々木が或幸福を与えるだろう事は佐々木自身が信じている如《ごと》く確かかも知れない。然し同時にその女が今持っている或幸福を捨てねばならぬ事も確かだ。しかも佐々木には女の今持っている幸福が如何《どん》なものかは本統に解《わか》っていないと云う気がする。

自分は何と云っていいか解らなかった。眼前《めのまえ》に佐々木の苦しそうな様子を見ると佐々木も可哀想だ。実際佐々木はイゴイストではある。然し決して不愉快なイゴイストではない。自分のした事に責任を負おうとして普通なら三四人も子供のあっていい年まで独身でいて、前を忘れず心からの愛を注ごうとしている。それは悪い感じはしない。然し何しろ女がそれを承知しなければそれはそれまでと云うより仕方がないと思った。然しそうも云えなかった。又そう云ったところでその女の従順な弱い性質を知りぬいている佐々木がそう思えないのは無理なかった。しかも自分には感じられない強さの慾情《よくじょう》が彼にはある。自分はそれで、何と云っていいか分らなかった。

城《き》の崎《さき》にて

山の手線の電車に跳飛《はねと》ばされて怪我《けが》をした、その後養生《あとようじょう》に、一人で但馬《たじま》の城崎《きのさき》温泉へ出掛けた。背中の傷が脊椎《せきつい》カリエスになれば致命傷になりかねないが、そんな事はあるまいと医者に云われた。二三年で出なければ後は心配はいらない、とにかく要心は肝心だからといわれて、それで来た。三週間以上——我慢出来たら五週間位居たいものだと考えて来た。

頭は未《ま》だ何だか明瞭《はっきり》しない。物忘れが烈《はげ》しくなった。然《しか》し気分は近年になく静まって、落ちついたいい気持がしていた。稲の穫入《とりい》れの始まる頃で、気候もよかったのだ。

一人きりで誰も話相手はない。読むか書くか、ぼんやりと部屋の前の椅子《いす》に腰かけて山だの往来だのを見ているか、それでなければ散歩で暮していた。散歩する所は町から小さい流れについて少しずつ登りになった路《みち》にいい所があった。山の裾《すそ》を廻っているあたりの小さな潭《ふち》になった所に山女《やまめ》が沢山集っている。そして尚《なお》よく見ると、足に毛の生えた大きな川蟹《かわがに》が石のように凝然《じっ》としているのを見つける事がある。夕方の食事前にはよくこの路を歩いて来た。冷々《ひえびえ》とした夕方、淋しい秋の山峡《さんきょう》を小さい清い流れについて行く時考える事はやはり沈んだ事が多かった。淋しい考だった。然しそれには静かないい気持がある。自分はよく怪我の事を考えた。一つ間違えば、今頃は青山《あおやま》の土の下に仰向《あおむ》けになって寝ているところだったなど思う。青い冷たい堅い顔をして、顔の傷も背中の傷もそのままで。祖父や母の死骸《しがい》が傍《わき》にある。それももうお互に何の交渉もなく、――こんな事が想《おも》い浮ぶ。それは淋しいが、それ程に自分を恐怖させない考だった。何時《いつ》かはそうなる。それが何時か？――今まではそんな事を思って、その「何時か」を知らず知らず遠い先の事にしていた。然し今は、それが本統に何時か知れないような気がして来た。自分は死ぬ筈《はず》だったのを助かった、何かが自分を殺さなかった、自分には仕なければならぬ仕事があるのだ、――中学で習ったロード・クライヴという本に、クライヴがそう思う事によって激励される事が書いてあった。実は自分もそういう風に危うかった出来事を感じたかった。そんな気もした。然し妙に自分の心は静まって了《しま》った。自分の心には、何かしら死に対する親しみが起っていた。

自分の部屋は二階で、隣のない、割に静かな座敷だった。読み書きに疲れるとよく縁の椅子に出た。脇《わき》が玄関の屋根で、それが家《いえ》へ接続する所が羽目になっている。その羽目の中に蜂《はち》の巣があるらしい。虎斑《とらふ》の大きな肥《ふと》った蜂が天気さえよければ、朝から暮近くまで毎日忙《いそが》しそうに働いていた。蜂は羽目のあわいから摩抜《すりぬ》けて出ると、一《ひ》ト先《ま》ず玄関の屋根に下りた。其処《そこ》で羽根や触角を前足や後足《うしろあし》で叮嚀《ていねい》に調えると、少し歩きまわる奴もあるが、直ぐ細長い羽根を両方へしっかりと張ってぶーんと飛び立つ。飛立つと急に早くなって飛んで行く。植込みの八つ手の花が丁度咲きかけで蜂はそれに群っていた。自分は退屈すると、よく欄干から蜂の出入《ではい》りを眺めていた。

或朝の事、自分は一疋《ぴき》の蜂が玄関の屋根で死んでいるのを見つけた。足を腹の下にぴったりとつけ、触角はだらしなく顔へたれ下がっていた。他《ほか》の蜂は一向に冷淡だった。巣の出入りに忙しくその傍《わき》を這《は》いまわるが全く拘泥《こうでい》する様子はなかった。忙しく立働いている蜂は如何《いか》にも生きている物という感じを与えた。その傍に一疋、朝も昼も夕も、見る度に一つ所に全く動かずに俯向《うつむ》きに転っているのを見ると、それが又如何にも死んだものという感じを与えるのだ。それは三日程そのままになっていた。それは見ていて、如何にも静かな感じを与えた。淋しかった。他の蜂が皆《みんな》巣へ入ってしまった日暮、冷たい瓦《かわら》の上に一つ残った死骸を見る事は淋しかった。然し、それは如何にも静かだった。

夜の間にひどい雨が降った。朝は晴れ、木の葉も地面も屋根も綺麗《きれい》に洗われていた。蜂の死骸はもう其処になかった。今も巣の蜂共は元気に働いているが、死んだ蜂は雨樋《あまどい》を伝って地面へ流し出された事であろう。足は縮めたまま、触角は顔へこびりついたまま、多分泥にまみれて何処《どこ》かで凝然《じつ》としている事だろう。外界にそれを動かす次の変化が起るまでは死骸は凝然と其処にしているだろう。それとも蟻《あり》に曳《ひ》かれて行くか。それにしろ、それは如何にも静かであった。忙《せわ》しく忙しく働いてばかりいた蜂が全く動く事がなくなったのだから静かである。自分はその静かさに親しみを感じた。自分は「范《はん》の犯罪」という短篇小説をその少し前に書いた。范という支那人が過去の出来事だった結婚前《まえ》の妻と自分の友達だった男との関係に対する嫉妬《しっと》から、そして自身の生理的圧迫もそれを助長し、その妻を殺す事を書いた。それは范の気持を主《しゅ》にして書いたが、然し今は范の妻の気持を主にし、仕舞に殺されて墓の下にいる、その静かさを自分は書きたいと思った。

「殺されたる范の妻」を書こうと思った。それはとうとう書かなかったが、自分にはそんな要求が起っていた。その前からかかっている長篇の主人公の考とは、それは大変異《ちが》って了った気持だったので弱った。

蜂の死骸が流され、自分の眼界から消えて間もない時だった。ある午前、自分は円《まる》山川《やまがわ》、それからそれの流れ出る日本海などの見える東山《ひがしやま》公園へ行くつもりで宿を出た。「一の湯」の前から小川は往来の真中をゆるやかに流れ、円山川へ入る。或所まで来ると橋だの岸だのに人が立って何か川の中の物を見ながら騒いでいた。それは大きな鼠《ねずみ》を川へなげ込んだのを見ているのだ。鼠は一生懸命に泳いで逃げようとする。鼠には首の所に七寸ばかりの魚串《さかなぐし》が刺し貫《とお》してあった。頭の上に三寸程、咽喉《のど》の下に三寸程それが出ている。鼠は石垣へ這上《はいあが》ろうとする。子供が二三人、四十位の車夫が一人、それへ石を投げる。却々《なかなか》当らない。カチッカチッと石垣に当って跳ね返った。見物人は大声で笑った。鼠は石垣の間に漸《ようや》く前足をかけた。然し這入ろうとすると魚串が直ぐにつかえた。そして又水へ落ちる。鼠はどうかして助かろうとしている。顔の表情は人間にわからなかったが動作の表情に、それが一生懸命である事がよくわかった。鼠は何処《どこ》かへ逃げ込む事が出来れば助かると思っているように、長い串を刺されたまま、又川の真中の方へ泳ぎ出た。子供や車夫は益々《ますます》面白がって石を投げた。傍《わき》の洗場の前で餌《えさ》を漁《あさ》っていた二三羽の家鴨《あひる》が石が飛んで来るのでびっくりし、首を延ばしてきょろきょろとした。スポッ、スポッと石が水へ投げ込まれた。家鴨は頓狂《とんきょう》な顔をして首を延ばしたまま、鳴きながら、忙《せわ》しく足を動かして上流の方へ泳いで行った。自分は鼠の最期《さいご》を見る気がしなかった。鼠が殺されまいと、死ぬに極った運命を担《にな》いながら、全力を尽して逃げ廻っている様子が妙に頭についた。自分は淋しい嫌な気持になった。あれが本統なのだと思った。自分が希《ねが》っている静かさの前に、ああいう苦しみのある事は恐ろしい事だ。死後の静寂に親しみを持つにしろ、死に到達するまでのああいう動騒《どうそう》は恐ろしいと思った。自殺を知らない動物はいよいよ死に切るまではあの努力を続けなければならない。今自分にあの鼠のような事が起ったら自分はどうするだろう。自分はやはり鼠と同じような努力をしはしまいか。自分は自分の怪我の場合、それに近い自分になった事を思わないではいられなかった。自分は出来るだけの事をしようとした。自分は自身で病院をきめた。それへ行く方法を指定した。若《も》し医者が留守で、行って直ぐに手術の用意が出来ないと困ると思って電話を先にかけて貰《もら》う事などを頼んだ。半分意識を失った状態で、一番大切な事だけによく頭の働いた事は自分でも後から不思議に思った位である。しかもこの傷が致命的なものかどうかは自分の問題だった。然し、致命的のものかどうかを問題としながら、殆《ほとん》ど死の恐怖に襲われなかったのも自分では不思議であった。「フェータルなものか、どうか？　医者は何といっていた？」こう側《そば》にいた友に訊《き》いた。「フェータルな傷じゃないそうだ」こう云われた。こう云われると自分は然し急に元気づいた。亢奮《こうふん》から自分は非常に快活になった。フェータルなものだと若し聞いたら自分はどうだったろう。その自分は一寸《ちょっと》想像出来ない。自分は弱ったろう。然し普段考えている程、死の恐怖に自分は襲われなかったろうという気がする。そしてそういわれても尚、自分は助かろうと思い、何かしら努力をしたろうという気がする。それは鼠の場合と、そう変らないものだったに相違ない。で、又それが今来たらどうかと思って見て、猶且《なおかつ》、余り変らない自分であろうと思うと「あるがまま」で、気分で希うところが、そう実際に直ぐは影響はしないものに相違ない、しかも両方が本統で、影響した場合は、それでよく、しない場合でも、それでいいのだと思った。それは仕方のない事だ。

　そんな事があって、又暫《しばら》くして、或夕方、町から小川に沿うて一人段々上《かみ》へ歩いていった。山陰線の隧道《トンネル》の前で線路を越すと道幅が狭くなって路も急になる、流れも同様に急になって、人家も全く見えなくなった。もう帰ろうと思いながら、あの見える所までという風に角《かど》を一つ一つ先へ先へと歩いて行った。物が総《すべ》て青白く、空気の肌ざわりも冷々として、物静かさが却《かえ》って何となく自分をそわそわとさせた。大きな桑の木が路傍《みちばた》にある。彼方《むこう》の、路へ差し出した桑の枝で、或一つの葉だけがヒラヒラヒラヒラ、同じリズムで動いている。風もなく流れの他は総て静寂の中にその葉だけがいつまでもヒラヒラヒラヒラと忙《せわ》しく動くのが見えた。自分は不思議に思った。多少怖い気もした。然し好奇心もあった。自分は下へいってそれを暫く見上げていた。すると風が吹いて来た。そうしたらその動く葉は動かなくなった。原因は知れた。何かでこういう場合を自分はもっと知っていたと思った。

　段々と薄暗くなって来た。いつまで往《い》っても、先の角はあった。もうここらで引きかえそうと思った。自分は何気なく傍《わき》の流れを見た。向う側の斜めに水から出ている半畳敷程の石に黒い小さいものがいた。蠑螈《いもり》だ。未だ濡《ぬ》れていて、それはいい色をしていた。頭を下に傾斜から流れへ臨んで、凝然《じっ》としていた。体から滴《したた》れた水が黒く乾いた石へ一寸《すん》程流れている。自分はそれを何気なく、踞《しゃが》んで見ていた。自分は先程《せんほど》蠑螈は嫌いでなくなった。蜥蜴《とかげ》は多少好きだ。屋守は虫の中でも最も嫌いだ。蠑螈は好きでも嫌いでもない。十年程前によく蘆《あし》の湖《こ》で蠑螈が宿屋の流し水の出る所に集っているのを見て、自分が蠑螈だったら堪《たま》らないという気をよく起した。蠑螈に若し生れ変ったら自分はどうするだろう、そんな事を考えた。その頃蠑螈を見るとそれが想い浮ぶので、蠑螈を見る事を嫌った。然しもうそんな事を考えなくなっていた。自分は蠑螈を驚かして水へ入れようと思った。不器用にからだを振りながら歩く形が想われた。自分は踞んだまま、傍の小鞠《こまり》程の石を取上げ、それを投げてやった。自分は別に蠑螈を狙《ねら》わなかった。狙ってもとても当らない程、狙って投げる事の下手な自分はそれが当る事などは全く考えなかった。石はこツといってから流れに落ちた。石の音と同時に蠑螈は四寸程横へ跳んだように見えた。蠑螈は尻尾《しっぽ》を反《そ》らし、高く上げた。自分はどうしたのかしら、と思って見ていた。最初石が当ったとは思わなかった。蠑螈の反らした尾が自然に静かに下りて来た。すると肘《ひじ》を張ったようにして傾斜に堪えて、前へついていた両の前足の指が内へまくれ込むと、蠑螈は力なく前へのめって了った。尾は全く石についた。もう動かない。蠑螈は死んで了った。自分は飛んだ事をしたと思った。虫を殺す事をよくする自分であるが、その気が全くないのに殺して了ったのは自分に妙な嫌な気をさした。素《もと》より自分の仕《し》た事ではあったが如何《いか》にも偶然だった。蠑螈にとっては全く不意な死であった。自分は暫く其処に踞んでいた。蠑螈と自分だけになったような心持がして蠑螈の身に自分がなってその心持を感じた。可哀想《かわいそう》に想うと同時に、生き物の淋しさを一緒に感じた。自分は偶然に死ななかった。蠑螈は偶然に死んだ。自分は淋しい気持になって、漸く足元の見える路を温泉宿の方に帰って来た。遠く町端《はず》れの灯《ひ》が見え出した。死んだ蜂はどうなったか。その後《ご》の雨でもう土の下に入って了ったろう。あの鼠はどうしたろう。海へ流されて、今頃はその水ぶくれのした体を塵芥《ごみ》と一緒に海岸へでも打ちあげられている事だろう。そして死ななかった自分は今こうして歩いている。そう思った。自分はそれに対し、感謝しなければ済まぬような気もした。然し実際喜びの感じは湧《わ》き上っては来なかった。生きている事と死んで了っている事と、それは両極ではなかった。それ程に差はないような気がした。もうかなり暗かった。視覚は遠い灯を感ずるだけだった。足の踏む感覚も視覚を離れて、如何にも不確だった。只頭だけが勝手に働く。それが一層そういう気分に自分を誘って行った。

三週間いて、自分は此処《ここ》を去った。それから、もう三年以上になる。自分は脊椎カリエスになるだけは助かった。

好人物の夫婦

一

深い秋の静かな晩だった。沼の上を雁《がん》が啼《な》いて通る。細君は食台《ちゃぶだい》の上の洋燈《ランプ》を端の方に引き寄せてその下で針仕事をしている。良人《おっと》はその傍《そば》に長々と仰向《あおむ》けに寝ころんで、ぼんやりと天井を眺めていた。二人は永い間黙っていた。

「もう何時？」と細君が下を向いたまま云った。時計は細君の頭の上の柱に懸っている。

「十二時十五分前だ」

「お寝《やす》みに致しましょうか」細君はやはり下を向いたまま云った。

「もう少しして」と良人が答えた。

二人は又少時《しばらく》黙った。

細君は良人が余り静かなので、漸《ようや》く顔を挙げた。そして縫った糸を扱《しご》きながら、

「一体何していらっしゃるの？　そんな大きな眼をして……」と云った。

「考えているんだ」

「お考え事なの？」

又二人は黙った。細君は仕事が或切りまで来ると、糸を断《き》り、針を針差しに差して仕事を片付け始めた。

「オイ俺は旅行するよ」

「何いっていらっしゃるの？　考え事だなんて今までそんな事を考えていらしたの」

「そうさ」

「幾日位行っていらっしゃるの？」

「半月と一ト月の間だ」

「そんなに永く？」

「うん。上方《かみがた》から九州、それから朝鮮の金剛山あたりまで行くかも知れない」

「そんなに永いの、いや」

「いやだって仕方がない」

「旅行おしんなってもいいんだけど、――いやな事をおしんなっちゃあいやよ」

「そりゃあ請け合わない」

「そんならいや。旅行だけならいいんですけれど、自家《うち》で淋しい気をしながらお待ちしているのに貴方《あなた》が何処《どこ》かで今頃そんな……」こう云いかけて細君は急に、「もう、いやいや」と烈《はげ》しくその言葉をほうり出して了《しま》った。

「馬鹿」良人は意地悪な眼つきをして細君を見た。細君も少しうらめしそうな眼でそれを見返した。

「貴方がそんな事をしないとはっきり云って下されば少し位淋しくてもこの間から旅行はしたがっていらしたんだから我慢してお留守していするんですけど」

「きっとそんな事を仕《し》ようと云うんじゃないよ。仕ないかも知れない。そんなら多分しない。なるべくそうする。——然《しか》し必ずしも仕なくないかも知れない」

「そら御覧なさい。何云ってらっしゃるの。いやな方ね」

良人は笑った。

「仕ないとはっきり仰有《おっしゃ》い」

「どうだか自分でもわからない」

「わからなければいけません」

「いけなくても出掛ける」

細君はもうそれには応じなかった。そして「貴方が仕ないとはっきり仰有って下されば安心してお待ちしているんだけど……男の方って何故《なぜ》そうなの？」と云った。

「男が皆《みんな》そうじゃないさ」

「皆そうよ。そうにきまってるわ。貴方でもそうなんですもの」

「そんな事はないさ、俺でも八年前まではそうじゃなかったもの」

「じゃあ、何故今はそうじゃなくおなりになれないの？」

「今か。今は前と異《ちが》って了ったんだ。今でもいいとは思っていないよ。然し前程非常に悪いと云う気がしなくなったんだ」

「非常に悪いわ」細君は或興奮からさえぎるように云った。「私にとっては非常に悪いわ」

その調子には、良人の怠けた気持を細君のその気持へぐいと引き寄せるだけの力がこもっていた。

「うん、そりゃそうだ」良人はその時、腹からそれに賛成して了った。

「そりゃそうだって、そんならはっきりそんな事仕ないって云って下さるの？」

「うう？　断言するのか？　そりゃ一寸《ちよつと》待ってくれ」

「そんな事を仰有っちゃあ、もう駄目」

「よし、もう旅行はやめた」

「まあ！」

「まあでも何でも旅行はもうよす」

「そんなに仰有らなくていいのよ。御旅行遊ばせよ。いいわ、多分仕ないって云って下すったんですもの。私が何か云っておやめさせしちゃあ悪いわ。おいで遊ばせよ。上方なら大阪のお祖母《ばあ》さんの所へ行っていらっしゃればいいわ。お祖母さんに貴方の監督をお頼みして置くわ」

「旅行はよすよ。お前のお祖母さんの所へ泊っていてもつまらないし、第一行くとすると上方だけじゃないもの」

「悪かったわ。折角思い立ちになったんだからおいで遊ばせ。そうして頂戴《ちょうだい》」

「うるさい奴だな、もうやめると決めたんだ」

「……赤城《あかぎ》にいらっしゃらない？　赤城なら私本統に何とも思いませんわ。紅葉《こうよう》はもう過ぎたでしょうか」

「うるさい。もうよせ」

「お怒《おこ》りになったの？」

「怒ったんじゃない」

細君は良人はやはり怒っているんだと思った。そして何か云うと尚《なお》怒らしそうなので黙る事にした。然し良人は少しも怒ってはいなかった。その時は実は旅行も少し億劫《おっくう》な気持になっていた。

「それはそうと大阪のお祖母さんのお加減はこの頃どうなんだ。お見舞を時々出すか」

「今朝も出しました。又例《いつも》のですから、そう心配はないと思いますの」

「八十お幾つだ？」

「八十四」

細君は針箱や、たたんだ仕立かけなどを持って隣室へ起《た》って行った。そして今度は良人の寝間着を持って入って来た。良人は起き上って裸になった。細君は後《うしろ》から寝間着を着せかけながら、こう云った。

「何だか段々嫉妬《やきもち》が烈しくなるようよ。京都でお仙《せん》が来た時、貴方だけ残して出掛けて行った事なんか今考えると不思議なようですわ」

「あれは安心して出掛けて行ったお前の方が余程利口だった。お前が出掛けて行ったら尚話も何にも無くなって閉口した」

「ですけど、今は到底そんな事、出来ませんわ」

「俺がそんな不安心な人間に見えるかね」

「いいえ、貴方がそうだと云うんでもないのよ」

「そんなら先方《むこう》が危いと云うのか」

「それもありますわ」

「慾目《よくめ》だね、俺は余り女に好かれる方じゃないよ」

「でも御旅行だと如何《どう》だか知れないいんじゃ有りませんか」

良人は一寸不快《いや》な顔をした。

「それとは又異《ちが》う話をしているんだ、馬鹿」

「何故？」

「もうよそう。その話は止《やめ》だ」

二

翌朝《よくあさ》大阪から良人宛《あて》の手紙が来た。朝寝坊な良人は未《ま》だ眠っていた。名は書いてなくても、自分宛にもなっていると思うと、勝手によく開封する細君はその手紙も直ぐ開封した。

それを書いたのは他《た》へ縁付いている細君の一番上の姉で、祖母の病気が今度はどうも面白くないと書いてあった。祖母は貴方にお気の毒だから妹は呼ばなくていいと申しますが、会いたい事の山々なのは他目《よそめ》にも明かで、昔気質《かたぎ》でそうと云えない所が尚可哀想《かわいそう》ですと書いてあった。都合出来たらどうか二三日でいいから妹を寄越して頂きたい。私共と異って妹は赤ん坊の時から殆《ほとん》ど祖母の手だけで育った児《こ》ですから、それが会わずに若《も》し眼をねむる事でもあると祖母や妹は勿論《もちろん》私共にも甚だ心残りの事となります。こんな事が書いてあった。

「又姉さんが余計な事まで書いて……」こう思いながら猶《なお》細君の眼からはポタポタと涙が手紙の上に落ちて来た。

寝室の方で、

「おい。おい」と良人の呼ぶ声がした。

細君は湯殿へ行き、泣きはらした眼を一寸水で冷してからその手紙と、それからその日の新聞を持って寝室へ入って行った。

「お祖母さんが少しお悪いらしいのよ」仰向きになって夜着の上に両手を出している良人に新聞と一緒にそれを手渡しながら云った。

良人は細君の赤い眼を見た。それからその手紙を読んだ。

「直ぐ行くといい」

「そう？　行くなら早い方がいいかも知れませんわね」

「そうだよ。東京を今夜の急行で出掛けられるように早速支度をするといい」

「そんならそうしましょうか。早く行って早く帰って来る方がいいわ。同じ事ですもの」

「早く帰る必要はないから、ゆっくり看護をして上げるといいよ」

「そりゃきっとお祖母さんの方で早く帰れ帰れって仰有ってよ。顔を見ればいいんだから早く帰っておくれって、きっとそう仰有ってよ。私《わたし》もいやだわ、そんなに永く自《う》家《ち》を空けるのは」

「よくなられるようなら、それでいいが、万一そうでなかったら、なるべく永く居て上げなくちゃいけない。お前とお祖母さんとは特別な関係なんだから」

「そう？　ありがとう」こう云っている内に細君の眼からは又涙が流れて来た。

「お前は余程気持をしっかり持ってないと駄目だよ。看護して上げるうえにも自分の感情に負けないように気を張ってないと駄目だよ」

「でも、なるべく早く帰りますわ。自家の事も心配ですもの」

　良人は細君の云う意味がそんな事でないのを知りながら、つい口から出るままに、

「俺も品行方正にしているからね」と笑談《じょうだん》らしく云った。

「そりゃあ安心していますわ」と涙を拭《ふ》きながら細君も笑顔をした。「けど、そう仰有って下されば尚嬉《うれ》しいわ」

　細君はそこそこに支度をして出発《たっ》て行った。

細君からは手紙が度々来た。祖母のは肺気腫《はいきしゅ》と云う病気だった。風邪から段々進ん

で来たものである。痰《たん》が肺へ溜《たま》る為《ため》に呼吸する場所が狭くなる。そしてその痰を出す為にせく。せいてもせいても中々痰が出ないと呼吸が出来なくなって非常な苦しみ方をする。見ていられない。病気そのものはそれ程危険ではないが、その苦しみの為に段々衰弱する。それが心配だと書いて来た。然し何しろ気の勝った人の事で、気で病気に抵抗しているのが——残酷な気のする事もあるが——嬉しいと書いて来た。

細君は中々帰れなかった。祖母の病気はよくも悪くもならなかった。それは実際気で持っているらしかった。

細君が行って四週間程して良人も其処《そっち》へ出掛けて行った。然しその頃から祖母は幾らかずついい方へ向った。気丈《きじょう》は遂《つい》に病気に勝った。良人は十日程居て妻と一緒に帰って来た。それは大晦日《おおみそか》に間もない頃だった。

祖母はそれからも二タ月余り床を離れる事は出来なかった。然し三月初めの或日、夫婦は小包郵便で大阪からの床あげの祝物を受け取った。

三

それは春の春らしい長閑《のどか》な日の午前だった。良人《おっと》は四五日前から巣についている鶏に卵を抱かしてやろうと思って、巣函《すばこ》の藁《わら》をとり更《か》えていると、不図妙な吐気《はきけ》の声を聴いた。滝だ。女中部屋の窓から顔を出して頻《しき》りに何か吐こうとしている。吐こうとするが何も出ないので只生唾《なまつば》を吐き捨てていた。

彼は籾殻《もみがら》を敷いた菓子折から叮嚀《ていねい》に卵を一つ一つ巣函へ移していた。そしてああ云う吐気の声は前にも一度聴いた事があると考えた。父の家《うち》に居た頃、門番のかみさんがよくああいう声を出していたと思った。彼はその時それを母に話すと、母は「赤ん坊が出来たので悪阻《つわり》でそんな声を出すんだろうよ」と云った。母の云うようにそれは実際妊娠だった。

彼はそれを憶《おも》い出して、滝のも妊娠かなと思った。――彼は翌日もその声を聴いた。それからその翌日も聴いた。

四

滝のが妊娠だとすると、これは先《ま》ず自分が疑われる、と良人は考えた。何しろ過去が過去だし、それに独身時代ではあったにしろ、女中とのそう云う事も一度ならずあったし、又現在にしろ、それを細君に疑われた場合、「飛んでもない」と驚いたり怒ったりするのは我ながら少し空々しい自分だと考えた。これは恥ずべき事に違いないと彼は思った。

彼は結婚した時からそう云う事には自信がなかった。彼はそれを細君に云った。一人で外国へ行った場合とか、一ト月或いは二タ月位の旅行をする場合とか、と云った。その時は細君も或程度に認めるような返事をしていた。

それからも良人はその危険性の自分にある事を半分笑談にして云った。又或時は既にそれを冒しているようにも云った。そして後《あと》のを云う場合には知らず知らず意地悪い厭《いや》がらせを云う調子で云っていた。これは狡《ずる》い事だ。その場合、彼では打ち明ける事が主《しゅ》であった。然し聴く者には厭がらせが主であると解《と》れるように彼は云っていた。聴く者にとって厭がらせを主として感ずれば、それだけ云われた事実は多少半信半疑の事がらになる。良人は故意でそうするのではなかった。知らず知らずにそんな調子になるのだ。尤《もっと》も細君もそれを露骨に打ち明けられる事は恐れていた。自身でもそれを云っていた。そして最初或程度に認めるように云っていた細君も何時《いつ》となしに、それは認めないと云うようになった。

滝のが結果から、或いは医者の診察から、若《も》し細君の留守中に起った事と云う事になればそれは尚厄介な事だと良人は思った。然し実際は疑われても仕方がない。事実にそう云う事はなかったにしろ、そう云う気を全く起さなかったとは云えないからと思った。

　彼は滝を嫌《きらい》ではなかった。それは細君の留守中の事ではあったが、例えば狭い廊下で偶然出会頭《であいがしら》に滝と衝突しかけた事がある。そして両方で一寸《ちよつと》まごついて危《あやう》く身をかわし、漸《ようや》くすり抜けて行き過ぎるような場合がある。そういう時彼は胸でドキドキと血の動くのを感ずる事があった。それは不思議な悩《なやま》しい快感であった。それが彼の胸を通り抜けて行く時、彼は興奮に似た何ものかで自分の顔の紅《あか》くなるのを感じた。それ程不意に来てそれは咄嗟《とつさ》に来た。彼にはそれを道義的に批判する余裕はなかった。それ程不意に来て不意に通り抜けて行く。が、これはまだよかった。

　然しそうでない場合、例えば夜《よる》座敷で本を見ているような場合、或いは既に寝室にいるような場合、其処《そこ》に家《うち》の習慣に従って滝が寝る前の「御機嫌よう」を云いに来る。すると、彼は毎時《いつも》のように只「うん」と答えるだけでは何か物足りない気のする事がよくあった。彼は現在廊下を帰りつつある滝を追って行く或気持の自身にある事を感ずる事がよくあった。彼はそれを余りに明かに感ずる時、何かしら用を云いつける。「一寸書斎からペンを取って来てくれ」とか或いは「少し寒いから上へ毛布を掛けてくれ」とか云う。云いながら底意《そこい》の為に自分ながら、それが不自然に聴えて困った。彼は自分の底意を滝に見抜かれていると思う事もよくあった。然しこんなにも考えた。滝は自分の底意を見抜いている。そしてそれに気味悪さを感じている。然し気味悪がりながら尚その冒険に或快感を感じている――彼は実際そんな気がした。彼は自身と共通な気持が滝にもその場合起っていると思った。そして全体滝は未《ま》だ処女かしら？それとも、――こんな考の頭をもたげる事もあった。

細君が大阪へ出発《たつ》てからは必要からも滝はもっとの用を彼の為にしなければならなかった。滝はそれを忠実にした。彼の底意が見られたと彼が思ってからも滝の忠実さは少しも変らなかった。それは尚忠実になったような気が彼にはした。しかもその忠実さは淫奔《いたずら》女の親切ではないと彼は思った。――けれどもとにかく、それは淡い放蕩《ほうとう》には違いなかった。

そう思って、彼は前の咄嗟に彼の胸を通り抜けて行く悩しい快感の場合を考えた。然し、それを放蕩と云う気はしなかった。根本で二つは変りなかった。――然しやはりそれを同じに云う事は出来ないと思った。

滝は十八位だった。色は少し黒い方だが可愛《かわい》い顔だと彼は思っていた。それよりも彼は滝の声音《せいおん》の色を愛した。それは女としては太いが、丸味のある柔かい、いい感じがした。

彼は然し滝に恋するような気持は持っていなかった。若し彼に細君がなかったらそれは或いはもっと進んだかも知れない。然し彼には家庭の調子を乱したくない気が知らず知らずの間に働いていた。そしてそれを越えるまでの誘惑を彼は滝に感じなかった。或いは感じないように自身を不知掌理《いっかしょうり》していたのかも知れない。そういう事も或程度までは出来るものだと彼は思っている。

五

良人はこれはやはり自分から云い出さなければいけないと思った。そう思えばこの四五日細君は何だか元気がなくなっている。然《しか》し未だ児を生んだ事のない細君が悪阻を知っているかしら？　そう良人は思った。とにかく、元気のない理由がそれなら早く云ってやらなければ可哀想だと思った。それに滝の方も田舎によくある若し不自然な真似《まね》でもする事があっては大変だと思った。そして一体相手は誰かしらと考えた。それは一寸見当《けんとう》が付かなかった。何しろ自分達が余り不愉快を感じない人間であってくれればいいがと思った。彼は淡い嫉妬《しっと》を感じていたが、それは自身を不愉快にする程度のものではなかった。

　良人は細君が大概それを素直に受け入れるだろうと思った。然し若し素直に受け入れなかったら困ると思った。その場合自分には到底むきになって弁解する事は出来まいと思った。弁解する場合その誤解を不当だという気が此方《こっち》になければそうむきになれるものではない。しかも疑われれば誤解だが、自分の持った気持まで立入られればそれは必ずしも誤解とは云えないのだから、と思った。

とにかく、このままにして置いては不可《いけ》ない。彼はそう思って、書斎を出て行った。細君は座敷の次の間に坐って滝が物干から取り込んで置いた襦袢《じゅばん》だの、タオルだの、シーツだのを畳んでいた。細君は良人が行っても何故《なぜ》か顔を挙げなかった。

「おい」と良人は割に気軽に声を掛けた。

「何？」細君は艶《つや》のない声で物憂《ものう》そうな眼を挙げた。

「そんな元気のない顔をして如何《どう》したんだ」

「別に如何もしませんわ」

「如何もしなければいいが……お前は滝が時々吐くような変な声を出しているのを気がついているか？」

「ええ」そう云った時細君の物憂そうな眼が一寸光ったように良人は思った。

「どうしたんだ」

「お医者さんに診て貰《もら》ったらいいだろうって云うんですけど、中々出掛けませんわ」

「全体何の病気なんだ」

「解《わか》りませんわ」細君は一寸不愉快な顔をして眼を落して了《しま》った。

「お前は知ってるね」良人は追いかけるように云った。

細君は下を向いたまま、返事をしなかった。良人は続けた。

「知ってるなら尚《なお》いい。然しそれは俺じゃないよ」

細君は驚いたように顔を挙げた。良人は今度は明かに細君の眼の光ったのを見た。そして見ている内に細君の胸は浪打《なみう》って来た。

「俺はそう云う事を仕兼ねない人間だが、今度の場合、それは俺じゃあない」

細君は立っている良人の眼を凝《じ》っと見つめていたが、更にその眼を中段の的《あて》もない遠い所へやって、黙っている。

「おい」と良人は促すように強くいった。

細君は脣《くちびる》を震わしていたが、漸く、

「ありがとう」と云うとその大きく開いていた眼からは涙が止途《とめど》なく流れて来た。

「よしよし。もうそれでいい」良人は坐ってその膝《ひざ》に細君を抱くようにした。彼は実際しなかったにしろ、それに近い気持を持った事を今更に心に恥じた。然し今はそれを打明ける時ではないと思った。

「それを伺えば私にはもう何にも云う事は御座いませんわ。貴方《あなた》が何時それを云って下さるか待っていたの」細君は泣きながら云った。

「お前はやっぱり疑っていたのか」

「いいえ、信じていましたわ。でも、此方《こっち》から伺うのは可恐《こわ》かったの」

「それ見ろ、やっぱり疑っていたんだ」

「いいえ、本統に信じていたの」

「嘘《うそ》つけ、そう信じれば、それが本統になってくれるような気がしたんだろう。ともかくそれでいい、お前は中々利口だ。お前は素直に受け入れてくれるだろうとは思っていたが、若し素直に受け入れなければ俺は疑われても仕方がないと思っていたのだ。然し素直に信じてくれたので大変よかった。疑い出せば、疑う種は幾らでも出て来るだろうし、その為に両方で不愉快な思いをしなければならないところだった。俺は明かな嘘は云わないつもりだ。笑談《じょうだん》や厭がらせを云う時、反《かえ》って嘘に近い事を知らずに云うかも知れないが、断言的に嘘は云わないつもりだ……」

「もう仰有《おっしゃ》らないでおいて頂戴《ちょうだい》。よく解ってます」細君は妙な興奮から苛々《いらいら》した調子で良人の言葉を遮《さえぎ》った。

良人は苦笑しながら一寸黙った。

「然しあとはどうする」

「あとの事なんか、今云わないで……。滝が好きならその男と一緒にするようにしてやればいいじゃあありませんか」

「そう簡単に行くものか」

「まあそれは後にして頂戴って云うのに……。もういや。そんな他《ほか》の話は如何でもいいじゃありませんか」

「他の話じゃない」

「もういいのよ。……貴方もこれからそんな事で私に心配を掛けちゃあ、いやですよ」細君は濡《ぬ》れた眼をすえて良人を睨《にら》んだ。

「よしよし。解ったらもうそれでいい。又無闇《むやみ》と興奮すると後で困るぞ」

「何故もっと早く云って下さらなかったの？　いやな方ね、人の気も知らずに」

「全体お前は悪阻と云う事を知っているのか」

「その位知っていますわ。清《きよし》さんの生れる時に姉さんの悪阻は随分ひどかったんですもの」

「知ってるのか」

「そりゃあ知ってますわ、それより貴方の知っていらっしゃる方が余程《よっぽど》可笑《おか》しいわ。男の癖に」

「俺は知ってる訳があるんだ」

「又そんないやな事を仰有る」

「お前は滝のは何時頃から気がついたんだ」

「もう四五日前からよ」

「俺は一昨日《おととい》からだ。その間お前はよく黙っていられたな。やっぱり疑っていたんだな」

「貴方こそ、よく三日も黙っていらしたのね」

そんな事を云いながら、細君は身体《からだ》をブルブル震わしていた。

「どうしたんだ」良人は手を延ばして今は対座している細君の肩へ触ってみた。

「何だか妙に震えて困るわ」こう云いながら細君は頤《あご》を引いて自分の胸から肩の辺を見廻した。

「興奮したんだ。馬鹿な奴だな」

「本統にどうしたんでしょう。どうしても止まらないわ」

「寝るといい。此処《ここ》でいいから暫《しばら》く静かに横になってて御覧」

「お湯を飲んで見ましょう」そういって細君は起《た》って茶の間へ行った。そして戸棚から湯呑《ゆの》みを出しながら、

「滝には出来るだけの事をしてやりましょうね」と云った。

「うん。それがいい。それはお前に任せるからね。そして云うなら早い方がいいよ。そんな事もあるまいが、不自然な事でもすると取り返しが附かないからね」

「本統にそうね。明日《あした》早速お医者さんに診せましょう。——まあ、如何したの？　未だ止まらないわ」こういまいましそうに云いながら細君は長火鉢の鉄瓶から湯を注《つ》いだ。そしてそれを口へ持って行こうとするとその手は可笑しい程ブルブル震えた。

赤西蠣太
あかにしかきた

　昔、仙台坂《せんだいざか》の伊達兵部《だてひょうぶ》の屋敷に未《ま》だ新米の家来で、赤西蠣太《あかにしかきた》という侍がいた。三十四五だと云うが、老《ふ》けていて四十以上に誰の眼にも見えた。容貌《ようぼう》は所謂醜男《いわゆるぶおとこ》の方で言葉にも変な訛《なまり》があって、野暮臭い何処《どこ》までも田舎侍らしい侍だった。言葉訛は仙台訛とは異《ちが》っていたから、秋田辺だろうと人は思っていたが実は雲州《うんしゅう》松江の生れだと云う事だ。真面目《まじめ》に独りこつこつと働くので一般の受けはよかったが、特に働きのある人物とも見えないので、才はじけた若侍達は彼を馬鹿にして、何かに利用するような事をした。蠣太はそう云う時には平気で利用されていた。然《しか》し若侍達も馬鹿ではなかったから承知で利用されている蠣太に己等《おのれら》の余り趣味のよくない心事を見ぬかれていると思う事は愉快でなかった。段々皆《みんな》もそう云う事を仕《し》なくなった。

　蠣太は一人者で武者長屋の一と部屋に人も使わず暮していた。酒を飲むでもなし、女遊びをするでもなし、非番の日などは時間つぶしに困るだろうと人に思われていた。然しその割に当人は退屈していなかった。酒を飲まない代りに菓子を食った。底の浅い函《はこ》を幾つも重ねた上を真田紐《さなだひも》で結んだ荷を担《かつ》いで来る菓子屋が彼の居あわせた所に来て無駄足をする事は決してなかった。然し彼は菓子を買うにも余り気前のいい買い方はしなかった。一々値段を訊《き》いては、あれかこれかと指を箸《はし》にした手を菓子の上でまごまごさす見よくない癖があった。菓子屋は「そう変った菓子を持って来ないのにこの人は未《いま》だに値段を少しも覚えない」と思って気分の悪い日などはむかむかと腹を立てる事もあった。然し蠣太のは知っていても一度は訊いて見ないと気が済まなかったのだ。

菓子好きの蠣太は又胃腸病者であった。彼は彼の部屋に菓子も絶やさなかったかわり千振《せんぶり》も絶やさなかった。彼の部屋にはいつも千振の臭《にお》いが漂っていた。

それから菓子の外にもう一つ道楽があった。それは将棋で、将棋は柄になく上手だった。菓子を買う時余り気前のよくない彼も、将棋では中々気前のいい離れ業をやって敵を驚かした。やり口に中々鋭い所があるので如何《いか》にもこの男らしくないと云う気を対手《あいて》にさせる事がよくあった。然し彼は好きな割に対手を欲しがらなかった。膝《ひざ》の上に定跡《じょうせき》の本を置いて独りで駒《こま》を並べているのが好きだった。盤の向うには行燈《あんどう》を据えて夜更《よふ》けまでよくやっていた。それが一寸《ちょっと》見ると行燈と将棋を差しているように見えたから、「昨晩は行燈との勝負は如何《いかが》でした」こんな事を云って冷かす同役もあった。

ここに又愛宕下《あたごした》の仙台屋敷に居る原田甲斐《はらだかい》の家来に銀鮫鱒次郎《ぎんざめますじろう》と云う若侍があった。

この男は生き生きとした利口そうな、そして美しい男で、酒も好き、女道楽も好きと云う人間だった。蠣太とは様子あいでも好みでも、凡《およ》そ反対の男だったが、只将棋好きだけが一致していた。

或時殿様の使で蠣太は愛宕下の屋敷へ行って、その時、偶然知り合いになって以来、二人は将棋友達として大変親密になって了《しま》った。

余りに異う二人が親しくなったのを見ると、人が「気が合うと云うのは不思議なものだ」などと云った。然しそう云う程、実はその人達もそれを不思議とも何とも思ってはいなかった。

何事もなく一年程経《た》った。その間不相変《あいかわらず》二人は十日に一度、半月に一度と云う風に往き来をして将棋の勝負を争っていた。

或時不意に蠣太に就て妙な噂《うわさ》が立った。それは蠣太が切腹未遂をやったと云う噂だった。行って見ると成程半死半生の蠣太が仰向《あおむ》けになってうつらうつらしていた。傍《そば》には親友の鱒次郎がついていたが、鱒次郎も蠣太が何故《なぜ》そんな事をしたかは知らなかった。医者に訊くと実際腹を十幾針か縫ったと云う。

「胃弱で苦しんでいたから夢でも見て、寝惚《ねぼ》けてそんな事をやったのだろう。馬鹿な奴だ」こんな事を云う人があった。「それとも気でもふれたかな?」こんなに云う人もあった。

すると或晩の事、老女蝦夷菊《えぞぎく》の部屋で按摩《あんま》の安甲《あんこう》と云う者の口から切腹未遂の本統の事が密《ひそ》かに話された。それによるとこうだった。

その晩安甲が呼ばれて行くと蠣太は「腹が痛くてやりきれないが、按腹《あんぷく》でも針でも直ぐやってくれ」と背中を海老《えび》のようにして苦しがっていた。安甲は直ぐ針を五六本打って見たが、蠣太は苦し気に「一向直らない」と云った。安甲は、胃痙攣《いけいれん》だと思うから針を水落《みぞお》ちの辺に打って見たのだが五六本打ってから蠣太は「痛いのはもっと下腹の方だ」と云い出した。この辺かというと、もっと右だと云う。右を押すと左だと云う。そして「何でもいいからそこら中、力まかせにもんでくれ」という。安甲はそろそろと腹をもんで見た。何だか妙なふくらみ方をしている。安甲はこれは自分の仕事ではないと思った。蠣太は「力まかせにやらなければ駄目じゃないか」と怒った。安甲は「按腹はそんなに力を入れられるものではありません。腸捻転《ちょうねんてん》でも起したら、それこそ事です」と答えた。

「腸捻転とは何だ」と蠣太が云う。「腸捻転と云うのは腹綿《はらわた》のよじれる病気です」こんな事を云いながら安甲は少し力を入れてもんでいると、どうしたのか腹が段々ふくらんで来た。蠣太の顔は見る見る青くなって来た。蠣太は「あッ、あ、あッ、あ」と息を吐く度に妙な声を出した。……安甲は仰天して了った。何故なら、（蝦夷菊に話す時には彼はそれだけぬかしていたが）彼が若い頃下手なもみ方をして一人腸捻転で殺した事がある。彼が按腹をしてその翌日又出掛けて行ったその時の様子と蠣太の今の様子と変りなかったからである。こうなったら医者を呼んでも仕方がないと思った。それにしろ自分一人は心細かった。「ともかくこれはえらい事が起った。自分がしたのか、自分が手をつける前から起していたのか解《わか》らないが、何しろこれから俺に按腹を頼む人はなくなるだろう」安甲の頭にはそんな事が想《おも》い浮んで来た。そして恐る恐る「お医者を呼ばして下さい」と云った。「俺はやはり腸捻転になったのだろう」と蠣太が苦しげに云った。「どうもそうかと思われます」と安甲が答えた。その時蠣太は可恐《こわ》い顔をして安甲をにらみつけた。安甲はびっくりした。すると直ぐ、蠣太は反《かえ》って穏かにこう云った。「何でも本当の事を云ってくれ」安甲は「へえ」と頭を下げた。「俺の病気は医者が診たところで助かるまい」と蠣太が云った。さすがの安甲もこの場合「へえ」とは云えなかった。黙っていると……、

お饒舌《しゃべり》の按摩安甲はここまで話すと急に黙って了った。そして後は何故か少し落ちつかない様子になって、話をひどく概略にして了った。つまり蠣太は「どうせ助から

ないものなら」と云って自分で腹を切って、安甲に手伝わせ、腸のよじれを直して了ったと云うのだ。(この場合その話を聞いている老女に若《も》し少しでも医学上の智識があれば「そうして出血はどう処置しました」と訊かねばならぬところだそうだ。ところが生憎《あいにく》、老女にはその智識がなかった。又仮にあったにしろ、老女は只々蠣太の勇気に感服しているところだったから、その際その疑問は起せなかったかも知れない。そして先を読めば解るが、どうした事か蠣太は遂《つい》に腹膜炎にもかからずに済んだのである)

「あんな気の強い人は見た事がない」と安甲は云った。

「然しこの事は堅く口留めされているのですから、どうか誰方《どなた》にもおもらし下さらぬよう」こう繰返し繰返し老女に頼んで帰って行った。

それから二三日した朝だった。仙台坂を下《お》りきった所に按摩安甲の斬《き》り殺された死《し》骸《がい》が横《よこ》わ《た》っていた。それは首筋を背後《うしろ》から只一太刀《たち》でやった傷だった。

又二三日した午後だった。経過がいいので、もう少しは話位出来るようになっていた蠣太の枕元《まくらもと》に鱒次郎が坐っている。

仰臥《ぎょうが》している蠣太は上眼をして鱒次郎の顔を見ながら勢《せい》のない声で、

「安甲を斬ったのは君だろう」と云った。

「いいや」と鱒次郎はにやにやしながら答えた。

「可哀想に」こう云って蠣太は大儀そうに又眼をつぶって了った。


又一週間程して鱒次郎が見舞に来た時、その事が出ると、――その時は蠣太も余程元気が出ていたので、

「君は馬鹿だよ。あんなお饒舌《しゃべり》に密書の在りかを云う奴があるものか」と鱒次郎は微笑しながら蠣太を非難した。

「そう云わないでくれ。同じ死ぬのでも、犬死はつらいからね。二年近くかかって作った報告書を白石《しらいし》の殿様に見せずに天井で鼠《ねずみ》の糞《くそ》と一緒に腐らして了うのは死ぬにも死にきれないよ」

「それはそうかも知れないが、人もあろうにあんな奴に打ち明ける奴があるものか」

「それなら、あの場合誰に打ち明ければよかったのだ」

「誰に打ち明ける事が要るものか。そこらに如才はあるものか、君が死んだと聴けば直ぐ飛んで来て隙《すき》を見て俺が自身で探し出して了う」

「そんなら天井のどの辺にどう隠してあるか今でも見当がつくか」

「見当も何もあるものか、あの按摩が精《くわ》しく教えてくれた。それが君がもう助かると決って暫《しばら》くしてそんな事を俺に云うのだ。さも内証事らしく、それから手柄顔をしてペラペラ薄っぺらな調子で饒舌るのだ。その時俺は此奴《こいつ》は生かして置くとその内にきっと他《ほか》に行ってこの調子で饒舌るなと云う気がしたのだ。——然しどの道彼奴《あいつ》は俺に殺されたよ。君が若しあのまま死んで彼奴が君の遺言通り天井の密書を俺の所へ持って来たとしても、俺は彼奴を生かしては置くまいよ」

「それはそうかも知れない」

「そうかも知れないと云って、今こそそうは思わないが若し君が死んでいたら君も彼奴を殺さす気でよこしたと俺は解《と》ったに違いないよ」

「毛頭そんな考はなかった。俺は少しは彼奴を信用している。お饒舌は知っているが、少くも俺等の役目が済む日位までは秘密を守ってくれるだろうと思っていた。何しろ遺言だからな」

「君は不相変《あいかわらず》君子だな」こう云って鱒次郎は一寸不快《いや》な顔をした。

蠣太は黙っていた。

鱒次郎の方はこう云う時、黙ってはいられない性《たち》だった。

「君子にも困る。自分が殺されかかって未《ま》だ其奴《そいつ》を弁護している」

「腸の捻転は彼奴にもませる前からやっていたのだ。医者に聴くとそうだ。もんでいる内に直ぐああなるものではないそうだ」

「然し彼奴のもみ方が悪いので一層早く悪くなったのだろう」

蠣太は又黙って了った。鱒次郎も今度は黙って了った。然し暫くすると又鱒次郎から口を切った。

「それはそうと吾々も役目だけは大概果したんだから君の身体《からだ》でも直ったら、いい機会に早く白石に引き上げた方がいいよ」

「うん、そうしよう」

二タ月程経った。秋の彼岸の日だった。蠣太はもう全快していた。その日は鱒次郎も非番だったので二人は築地から荷足《にたり》を一艘《そう》借りて沙魚《はぜ》釣りに出かけた。蠣太は弁当の他に菓子、鱒次郎は弁当の他に酒を持って行った。二人は御浜御殿《おはまごてん》の石垣の側《そば》で大分釣り上げた。然し其処《そこ》には沢山の舟があって、自由に何でも話すわけには行かなかった。

「どうだいこの位釣れたらもういいだろう。弁当は少し沖へ出て、広々した所でやろうじゃないか」と鱒次郎は何本かたれていた糸を竿《さお》に巻き始めた。

「うん、そうしよう」蠣太も竿を上げながら答えた。

「彼方《むこう》にこんもり高く見えるのが鹿野山《かのうざん》という山だろう」

「そうかい」

「こう云う景色を眺めながら一杯やるのは又格別な味だが、こう云う景色を眺めながらむしゃむしゃ菓子を食う相手だから仕方がない」

蠣太は只笑っていた。

「然し菓子もいい加減にしないと命取りだよ。今日はどんな菓子を持って来たんだ。無闇《むやみ》な菓子を食ったら未ださわるだろう」

「今日は軽焼だ」

「まるで乳呑児《ちのみご》だね」と鱒次郎は大きな声をして笑った。

釣道具の始末が出来ると鱒次郎が漕《こ》いで舟を沖へ出した。そして船道《ふなみち》の棒杭《ぼうぐい》まで来ると其処に舟をつないだ。その辺《へん》にはもう他の釣船は居なかった。二人は気楽な気持で自分々々の弁当を開いた。

「時に君の身体はもう旅の出来る位にはなったかね？」と鱒次郎が云った。

「もう大概大丈夫だろう」

「先刻《さっき》漕いだ位では弱りもしないかね」

「別に弱らない」

「それならどうだい、そろそろ白石へ帰る支度をしては。俺の方の報告書も大概出来上っているが」

「出来上っているなら君が先へ帰ったらよかろう。俺も大概は出来ているが」

「然し甲斐《かい》の方はもう少しついている方がよくはないか？」

「それはそうかも知れない」

「とにかく、君の旅立つ日が決ったらその少し前に俺の作った報告書は持って行こう」

「旅立つのはいいが、どう云う理由で暇を貰《もら》ったらいいかな」

「正式に暇を貰うやり方だと、先方《むこう》に故障を云われた時に困るぞ」

「そんなら夜逃げをするか。然《しか》しそれも先方の腑《ふ》に落ちるだけの動機がなければ危険かも知れない。後に残る君にも危険な事だ」

「何しろ甲斐は利口な奴だからな。下手《へた》をして此方《こっち》の不利を先方に握らすような事をしては大変だから、――然しどうしたら君の夜逃げが最も自然に見えるかな」

蠣太はこう云うこまかい細工は自分の領分ではないと思っていたから、鱒次郎に一任した気で深く考えようともしなかった。

「とにかく、君は面目次第もない事をやるのだな」鱒次郎は意地の悪い微笑を浮べながら蠣太の顔を見て云った。他人に顔向けの出来ない事をやるのだな」

「武士の面《つら》よごしをするのだな?」

「まあ武士の面よごしをするのだな」と鱒次郎は嬉《うれ》しそうに繰返した。

「まさか泥棒をしろとは云うまいな」

「泥棒もいいかも知れない」

「追手《おつて》がかかると俺は直ぐ捕まるよ」

「追手がかかる位ならいいが、物を取らない内にきっと捕まるだろう」

二人は笑った。

蠣太は黙って弁当を食っている。鱒次郎は肴《さかな》をつまんだり酒を飲んだり、時々広々とした景色を眺めたりしながら、やはり考えていた。

「どうだい」鱒次郎は不意に膝《ひざ》を叩《たた》いて乗気な調子で云い出した。「誰かに附文をするのだ。いいかね。何でもなるべく美しい、そして気位の高い女がいい、それに君が艶書《えんしよ》を送るのだ。すると気の毒だが君は肘鉄砲《ひじてつぽう》を食わされる。皆《みんな》の物笑いの種になる。面目玉を踏みつぶすから君も屋敷には居たたまらない。夜逃げをする。――それでいいじゃないか。君の顔でやればそれに間違いなく成功する。この考はどうだい。誰か相手があるだろう、腰元あたりに。年のいった奴は駄目だよ。年のいった奴には恥知らずの物好きなのがあるものだから、そういう奴にあったら失敗する。何でも若い綺《き》麗事《れいごと》の好きな奴でなければいけない」

蠣太は乱暴な事を云う奴だと思った。然し腹も立たなかった。そして気のない調子で、

「泥棒するよりはましかも知れない」と答えた。

「ましかもどころか、こんなうまい考は他にはないよ。そうして誰か心当りの女はないかね。日頃そう云う事には迂《うと》い男だが……」

蠣太は返事をしなかった。

「若い連中《れんじゆう》のよく噂《うわさ》に出る女があるだろう」

「小江《さざえ》と云う大変美しい腰元がある」

「小江か、小江に眼をつけたところは君も案外迂い方ではないな。そうか。小江なら益々成功疑いなくなった」

蠣太はこれまで小江に対し恋するような気持を持った事はなかった。然しその美しさはよく知っていた。そしてその美しさは清い美しさだと云う事もよく知っていた。

今その人に自分が艶書を送るという事は或他《た》の真面目《まじめ》な動機を持ってする一つの手段にしろ、余りに不調和な、恐ろしい事のような気がした。

「小江ではなく誰か他の腰元にしよう」

「いかんいかん。そんな色気を出しちゃ、いかん」こういった鱒次郎にも今は笑談《じょうだん》の調子はなくなっていた。色気と云う意味はどう云う事かよく解らなかったが、蠣太はどうしても小江にそう云う手紙を出す事は如何《いか》にも不調和な事で且《か》つ完《まった》き物にしみをつけるような気がして気が進まなかった。然し若し鱒次郎の云う成功に、若い美しい人がどうしても必要だとすると小江以外に蠣太の頭にはそう云う女が浮んで来なかった。其処で彼は観念して小江を対手《あいて》にすることを承知した。

「それなら艶書の下書きをしてくれ」と蠣太が云った。

「それは自分で書かなくては駄目だ。俺が書けば俺の艶書が出来て了う。何しろ対手が小江だから、俺が書くと気が入り過ぎて、ころりと先方《むこう》を参らすような事になるかも知れないよ」

蠣太は苦笑した。そして鱒次郎が書くより、まだ自分の書く方が小江を汚《けが》さずに済ませるだろうと思った。

風が出て来たので二人は船を返した。仙台屋敷は丁度帰り途《みち》だったから蠣太は鱒次郎の所へ寄った。二人は久し振りで将棋の勝負を争った。

秋になって初めての珍らしく寒い晩だった。蠣太は静かな自分の部屋で僅《わずか》な埋火《うずみび》に手をあぶりながら、前に安巻紙を展《ひろ》げ、切《しき》りに考えている。彼は真面目腐った顔をして、時々困ったと云うように筆を持った手で頭の剃《そ》ってある所をかいたりした。

彼はとにかく、紙に筆を下《おろ》した。

どうもうまくない。字は立派だが文章が駄目だ。妙に生《き》真面目で如何にも艶《つや》も味もない。「こんな艶書があるものではない」彼は苦笑した。

彼は嘗《かつ》て読んだ事のある草双紙を頭に憶《おも》い起して見たが、艶書の条《くだり》も別に浮んで来なかった。仕方がないから彼は今度は自分を草双紙の絵に見るような二十前後の美しい若侍として考えて見た。眼をつぶって想像力をたくましくしている間は一寸《ちょっと》そんな気がしないでもない。然し眼を開《あ》くと直ぐ眼の前に毛の生えた黒い武骨な手がある。

彼は閉口した。

彼は又迷い出した。小江でない他の女ならまだ幾らか書きよいかも知れないと考えた。それとも艶書はやめて、直接口で云ってやろうかしらと考えた。然しそれは尚《なお》むずかしそうだと思った。そして艶書はやはり鱒次郎にあの時頼んで了えばよかったと思った。

彼は又それを受け取った小江の驚きと不快とを察すると気が沈んで来た。彼はこんなことではならぬと気を取り直して又別に書いて見た。どうも思わしくない。余りにさっぱりしすぎている。これでは一向恋になやんでいる様子は出ていない。困った事だと思った。

何しろ艶書を作ると云う考が不可《いけない》のだと考えた。作ると云うよりなるべく地金を出すようにして書かなくては駄目だと思った。そう思って彼は無理に小江を恋するような心持に自身を誘って見た。小江に恋い焦《こが》れ思いなやんでいる自分になり澄まそうとした。多少はそんな気持になれた。その気の覚めない内にと彼は急いで筆を運んで行った。それでもややもするとその気持から覚めかけるには彼も往生した。然し自分のような醜い男に想《おも》われる気の毒さを同情する気持にうそはなかったから、それを思いやる部分などは真実な情のあるともかくも一本の艶書が出来た。これ以上はもう書けないと思った。彼は一度読み返して見て叮嚀《ていねい》に巻きおさめるとそれを封書にして、さも大切な物ででもあるかのように机の抽斗《ひきだし》に仕舞って、それから寝支度にかかった。

翌朝《よくあさ》蠣太はいつもより早く御殿へ出て行った。そして目立たぬ程度で長廊下をまごまごしながら小江の来るのを待っていた。彼は何だか妙にどきどきした。それをおさえようとしても何処《どこ》へ力を入れていいか解《わか》らなかった。今にも小江が見えたら機会を逃さずこれを渡さなければならぬ。彼はそう思って手紙を握ったままその手を袴《はかま》の割れ目に入れて待った。手から出る油で手紙がじめじめしているのがわかった。

彼は小江が恐ろしい人のような気がして弱った。こんな事ではならぬと思って頭を殊更《ことさら》に今自分がなし遂げつつある侍としての使命に向けて見たが、然しこの場合たしかに美しい小江は強者で醜い自分は比較にならぬ弱者だと思わずにはいられなかった。性の異《ちが》う関係で美醜が直ぐ様強弱になる場合があるものだが蠣太には殊にその感が深かった。彼はその圧迫に堪えられない気がした。彼は落ちつきなく廊下から人のいない側《わき》の部屋に入ったり、又出たりしていた。

やがて時が来た。彼はどきりとした。が、それからは我ながら意外に落ちついて了《しま》った。彼はまるで附け文をする人のようでなく、

「これを見て下さい」こう云って、こわい顔で小江をまともに見ながら、それを手渡した。

小江は一寸驚いた風だったが、それを受け取って、

「御返事を差し上げる事で厶《ござ》いますか？」と云った。返事の予想は全くしていなかっ

たが、蠣太は、

「どうぞ」と答えた。

小江はお辞儀をして行って了った。蠣太はホッと息をついた。そしてとにかくやってのけたと思うと一種快活な気分が起って来た。

彼は今日のうちにも何か起るか、それとも明日《あした》か、こんな事を考えて、自分もそろそろ逃支度をして置かねば、と思った。が、その日は何事も起らなかった。

そして翌日になった。返事を予期しない彼は返事を貰う機会を別に求めなかったし、その日も何事もなく済むと、これは変だぞと考えた。若しかしたら小江が自分に恥をかかすまいと、何事もなかったように手紙を握りつぶす気ではないかしらと云う心配が起った。実際、小江は年に似ず、しっかり者だから、若しそうなら困った事だぞと思った。

翌々日もそのまま過ぎた。小江と二人だけで会う機会はなかった。又蠣太は知らず知らず、それを避けていた事を後で気がついた。そして人の居る所で会う場合、小江は全く何事もなかった人のような顔をしていた。それを蠣太は心で感服した。然しこのままでは仕方がないと思った。仕方がなければ、もう一つ艶書を書いて、気の毒だが、それを何処かに落して置いてやろうと考えた。

その晩又書いて見た。彼は小江に払わす犠牲を出来るだけ少くしようと注意しいしい書いた。何の返事も下さらないのは自分に恥をかかすまいとする御好意と解します。そう云う立派な貴女《あなた》のお心に対し、尚つけ上ってこんな手紙を書く自分は自分でも許せない気がします。然し自分はどうしても思い止《とど》まる事は出来ません云々《うんぬん》。こんな事も書いて見た。彼は若侍等《など》が寄ってこれを見て笑う様子を想い浮べると冷汗だった。

翌日彼は出勤すると直ぐ長廊下の角の金網のかかった行燈《あんどう》の側《そば》にそれを落して来た。一時間程して又何気なく行って見た。もう其処にはなかった。彼は安心と不愉快との混り合った変な気持をしながら引返して来ると、偶然向うから小江が一人で来るのに会った。彼は思わず眼を伏せた。そして何気なく擦れ違おうとすると、何か自分の手に触れる物を感じた。彼は不知《いっか》それを受け取っていた。それは重みのある手紙だった。

その晩部屋へかえると燈心をかき立てて急いで披《ひら》いて見た。返事は全く予想外だった。二本入っていた。一つは渡す機会がないので持って帰った時、又書いて入れた手紙だった。

内容の意味はこうだった。

私《わたくし》は貴方《あなた》を恋した事は厶《ござ》いませんが、前から好意を感じておりました。私には遠からず結婚の問題が起ると思っておりましたが、今このお屋敷で見る程の若侍方の誰方《どなた》に対しても私はそう云う気は起りませんでした。素《もと》より貴方に対しそんな事を考えた事は厶いませんでした。貴方とそんな事とを聯想《れんそう》する事が出来なかった為《ため》で厶います。これは悪い意味にはおとり下さらぬ事と存じます。

私は町家《ちょうか》の者で厶います。私はもう一年か一年半したら親元へ下る筈《はず》になっております。結局は町家へ嫁入る身と自分でも考えておりましたところでした。然し今貴方から御手紙を頂いて私には新しい問題が起りました。私は考えました。私には新しい感情が湧《わ》いて参りました。私には前から貴方に対する或尊敬が厶いました。それが今急にはっきりして参りました。私は私がこれまではっきり意識せずに求めていたものが、それが貴方の内にあるものだったと云う事を初めて気がつきました。私が所謂《いわゆる》美しい若侍方に何となくあきたらなかったのは、そう云うものが若侍方の内にないからだったと云う事が解って参りました。私は貴方からお手紙を頂いて本統に初めて自分の求めていたものがはっきり致しました。私は今幸福を感じております。

それから貴方は貴方にお似合にならない顧慮ばかりしておいでです。それを決して悪く解《と》りは致しません。然し本統にそれは無駄な事です。これからは決してそれを仰有《おつしや》らないで頂きます。私は心から嬉《うれ》しく思い上げております。云々《うんぬん》。

こう云う意味がもっともっと美しい、それから艶のある女らしい感情で書いてあった。

後《あと》から書いた方には、何故《なぜ》貴方が私の返事を受け取る機会をお避けになるのか解りませんと、それを切《しき》りに憾《うら》んであった。その後《あと》には実際的な、今後どうしたらいいかと云う事が細々《こまごま》と書いてあった。近く来る宿下りの日にそれを両親に打ち明けようと思うと云うような事が書いてあった。

蠣太の顔は紅《あか》くなった。彼は自分の胸の動悸《どうき》を聴いた。彼は暫《しばら》くぼんやりして了った。彼はこれをまともに信じていいか、どうかを迷いさえした。彼は彼の胸に新しく出来た——それは五分前まではなかった、妙なものを感じた。彼は自分の年がわからなくなった。何故ならこう云う妙なものを胸に感じたのは彼が未だ雲州松江にいた十二三の頃一度そう云う事があっただけだったからである。その時にそれが対手の冷笑で惨めな幻滅で終って以来、全く自信を失った——彼自身に云わすれば己れを知った——彼には今日まで再びそういうものが彼の胸に訪れて来なかったからであった。

彼は夢のような気持になっていた。然し間もなく、今日艶書を落して来た事を憶い出すと彼はぎょっとした。俺はどうすればいいのだ。彼は堪《たま》らない気がした。彼はつくづく自分を馬鹿者だと思った。それは動機に弁解は出来るにしろ、自分は人間の最も聖《きよ》い気持を悪戯《いたずら》に使おうとしたのだ。それを尊重する事をどうして忘れていたろう。この償いはどうすればいいのだ。――彼は全く熱して了った。

夜が更《ふ》けた。床へ入ったが眠れない。どうしてこんな事になったろうと云う気が未《いま》だにしている。彼はもう仕方がないと思った。落した艶書が何かしらんの解決に導いてくれる、それに従うより仕方がないと思った。

彼の感動は段々静まって行った。彼の頭は再び彼の侍としての役目へ返って行った。彼は夢から覚めたような気持になった。五十四郡の運命にかかわる大事の場合に自身だけの事に没頭していては済まないと思った。自分は今心を鬼にしなければならぬ時だ。ともかくも自分の役目は果たさねばならぬ。小江《さざえ》にもそれは後で解る事だ。幸に総《すべ》てが順調に行った日に小江との事は改めて甦《よみがえ》らせられない事ではない。その時になれば何も彼《か》も解る事だ。――そう思っても彼には何か淋しい気持が残った。彼は淋しいままに暫くすると眠って了った。

翌朝《よくあさ》になった。定刻に蠣太は出勤した。彼の顔はいつもより青かった。彼は何となく元気がなかった。然し何となく興奮もしていた。

暫くすると老女の蝦夷菊《えぞぎく》から一寸部屋まで来てくれと云う使が来た。蠣太はしおしおとして行った。それが自分でも相応していると思って、彼はそれを取りつくろおうとはしなかった。

老女は人払いをしてから彼に彼の手紙を手渡した。それは開封してあった。「私《わたくし》が拾ったからいいようなものの、他人の手で拾われたら、どうするおつもりです」老女はこう叱《しか》るように云った。

そう云った老女も蠣太には好意を持っていた。殊に切腹未遂からは一層蠣太に感心していたから、こんな事でこの侍にきずがつく事は腹から残念に思った。老女は自分は堅く口をつぐんでいるから、総ては無かった昔としてこれまで通り御用をはげんで下さらねば困る。小江にやった手紙はいい機会に必ず取もどして置いて上げるからと、尚こんこんと将来をいましめた。

蠣太は一言もなかった。彼はそれは彼のいい性質が他人の心から反射して来るのだとは気がつかなかった。そして、どうしてこう皆《みんな》いい人達ばかりだろうと考えた。兵部《ひょうぶ》は悪人だが、こう云ういい人達の居るこの一家を破滅さす為《ため》に自分が働かねばならぬかと思うと一寸淋しい気になった。

彼は病気と云って部屋へ引き退《さ》がると、こうなればもうこのままやり通すより仕方がないと考えた。彼は蝦夷菊宛《あて》の書置を書いた。

自分は自分の年をも考えず痴情に陥入った段、何とも恥入る次第である。何の面目あって再び貴女と顔を合す事が出来よう。こうなった以上小江殿を忘れられもせず、又このままでは今まで通りお勤めも出来なくなった。誠に我ながら愛想の尽きる次第である。

こんな意味だった。

蠣太は天井に隠して置いた自分と鱒次郎の秘密の報告書を肌身につけて、夜の更《ふ》けるのを待って屋敷を脱け出した。

そして白石をさして急いだ。

書置は翌日蝦夷菊の手に入った。蝦夷菊は気の毒な事をしたと思ったが、今は仕方なかった。それをそのままに握りつぶすわけにも行かなかったから、殿様の兵部に見せた。兵部は心から笑った。居あわせた侍達も心から笑った。蠣太と小江との対照が彼等にはこの上なく可笑《おか》しかった。そして、それは笑い話だったが、人々には小江が人眼にも知れる位弱って了《しま》ったのが、どう云うわけか解らなかった。

小江は又蠣太の仕た事がどうしても解らなかった。しかし小江は馬鹿ではなかった。これには何かあると思った。小江は独り苦しい気持を忍んで誰にもそれを話さなかった。蝦夷菊から最初の手紙を見せるよう云われた時も、もう焼き捨てましたと答えて、後から直ぐ本統に焼き捨てて了った。だから蠣太と小江との事は皆《みんな》の間には一場の笑い話の種として残るだけだった。

それから暫くして或日原田甲斐《はらだかい》が訪ねて来た。甲斐は兵部と二人、離れの茶室に人を避けて暫く密談をした。そして用が済むと二人は座敷へ帰って来て、皆と共に酒宴《さかもり》を始めた。その時兵部は座談として蠣太と小江の話をした。最初甲斐は兵部と共に笑っていた。然し段々彼は変な顔をしだした。仕舞に非常に不機嫌な顔になった。甲斐は兵部にもう一度離れに来て下さいと云った。二人は又暫く密談した。間もなく蝦夷菊と小江が其処《そこ》に呼ばれて行った。小江は甲斐から峻酷《しゅんこく》に調べられた。今は本統の事を云うより仕方がないと思った。小江は悪びれずに本統の事を話した。甲斐は益々《ますます》不機嫌な顔をした。

小江は直ぐ親元へ下げられ、其処で監視を受けねばならぬ身となった。蝦夷菊は自分から願い出て役を退《しりぞ》いた。

間もなく所謂伊達《だて》騒動が起ったが、長いごたごたの結果、原田甲斐一味の敗《ま》けになった事は人の知る通りである。

事件が終ってから蠣太は本名にかえって、同じく変名していた鱒次郎をたずねて見たが、どうなったか皆目行方が知れなかった。それは甲斐の為に人知れず殺されたのだろうと云う事だった。

最後に蠣太と小江との恋がどうなったかが書けるといいが、昔の事で今は調べられない。それはわからず了いである。

十一月三日午後の事

晩秋には珍しく南風が吹いて、妙に頭は重く、肌はじめじめと気持の悪い日だった。自分は座敷で独り寝ころんで旅行案内を見ていた。さし当り実行の的《あて》もなかったが、空想だけでも、こう云う日には一種の清涼剤になる。そして眠れたら眠る心算《つもり》でいた。其処《そこ》に根戸《ねど》に居る従弟《いとこ》が訪ねて来た。

自分は起きて縁側に出た。従弟は庭に溢《あふ》れている井戸で足を洗いながら、

「今日大分大砲の音がしましたね」と云った。

「あっちの方に聴えたね。小金《こがね》ヶ原《はら》あたりかしら」

「演習がもう始まったんだな。昨日停車場《ていしゃば》へ行ったら馬が沢山来ていた」

従弟は足を拭《ふ》いて上って来た。二人は椅子《いす》の部屋に来た。従弟は自分の手にある旅行案内を見ると、

「そんな物を見て何かむほんの計画でもあるんですか」と云った。

二人は旅行の話をした。九州の方へ行くとすると汽車より濠洲《ごうしゅう》行きか何か、船の方が面白そうだというような話をした。そして長崎までの汽車賃と船賃とを、その本で調べたりした。

蜂《はち》が四五疋《ひき》、鈍いなりに羽音を立ててその辺を飛び廻った。毎年今頃になると寒さに弱った蜂が陽あたりのいいこの部屋の天井へ来て集る。今年は子供がそれを手づかまえにしかねないので、気がつくと蠅《はえ》たたきで殺していた。で、今も自分は従弟と話しながらそれ等を殺しては捨てていた。

「今日は七十三度だよ」

「七十三度というと、どうなんです」

「今頃七十三度は暑いじゃないか。一寸《ちょっと》した山なら夏の盛《さかり》だ」

「それに蒸すんですよ。蒸すからこんなに頭が変なんですよ」そう従弟の方で説明した。そして「今まで昼寝をしていたんだけど……」と顔を顰《しか》めながら、大分延びた丸刈の髪を両手の指で逆にかき上げた。

「久しぶりで散歩でもしようか」

「しよう」

「柴崎《しばさき》に鴨《かも》を買いに行こうか」

「いいでしょう」

自分は妻に財布とハンケチを出さした。妻は、

「町のお使は如何《どう》するの？　その鴨は今晩は駄目なの？」と云った。

「今晩は駄目だ」

二人は庭から裏の山へ出た。北の空が一寸険しい曇り方をしていた。畑から子《ね》の神《かみ》道《みち》に出て、暫《しば》く行って又畑の間を小学校の方へ曲った。成田線の踏切を越して行く騎兵の一隊が遠く見えた。皆帽子に白い布《きれ》を巻いていた。

暫くして自分達もその踏切を越した。すると今度は後《うしろ》から歩兵の一隊が来た。その時それはかなり遠かった。二人は余り注意もせずに話しながら来たが、その一隊は寧《むし》ろ案外な早さで、間もなく自分達の直ぐ背後《うしろ》に迫って来た。

「きっと敵を追いかけているんですよ」と従弟が云った。

この蒸暑いのに皆外套《みんながいとう》を着ている。幾ら暑くてもそれは命令で勝手には脱げないらしい。帽子だけは皆手に持っていた。それにはやはり白い布が巻いてあった。然《しか》しそれも先頭に歩いていた若い士官が一寸後を向いて何か簡単な号令をかけた時に皆は被《かぶ》って了《しま》った。蒸し風呂から出て来た人のような汗の玉が皆の顔に流れている。そして全く黙り込んで、只急ぐ。汗と革類とから来る変な悪臭が一緒について行った。

十二三間長さのその隊は間もなく自分達を追い抜いて往《い》った。一足遅れに行く或一人の疲れ切った後姿を見ながら、従弟は、

「何だか色んな物がちっとも身体《からだ》についていないのね。もう少し工合よく作れそうな

ものだ」と云った。

「外套は二枚持って歩くのかい？」

「背嚢《はいのう》についているんですか。あれは毛布でしょう」と従弟が云った。

兵隊は遠ざかって行った。往来には常になく新しい馬糞《ばふん》が沢山落ち散っていた。二人は中学時代に行った行軍の話などをしながら歩いた。

常磐線《じょうばんせん》の踏切から切通しのだらだら坂を登って少し行くと彼方《むこう》の桑畑に散兵している のが見えた。百姓が処々《ところどころ》に一トかたまりになってそれを見物していた。

東源寺《とうげんじ》と云う榧《かや》の大木で名高い寺への近道の棒杭《ぼうくい》のある所から街道を外《そ》れて入った。左手の畑道を騎兵が七八騎一列になって、馬を暢気《のんき》に歩かせていた。間もなく、自分達は竹藪《たけやぶ》の中のじゅくじゅくした細い坂路《さかみち》を下りて、目的の鴨屋へ行った。

鴨は一羽もなかった。その朝丁度東京へ出したところだと云う。そして「今あるのはおしどり位なものです」と云った。それを見た。然しおしどりは未《ま》だ少しも馴《な》れていなかった。柵《さく》の隅で出来るだけ小さくなって、片方の眼だけを此方《こっち》へ向けて如何《いか》にも不安らしい様子をしていた。「雄は未《ま》だ雛《ひな》です。別々に捕ったので親子でないから雌《めす》に押されているんですよ」主《あるじ》は雄が地面へ腹をつけたきりで、若《も》し歩いても中腰でヨタヨタしているのを弁解するように云った。

近所の仲間には鴨もある筈《はず》だというので、自分はやはりそれを頼んだ。二人は主がそれを取って来る間、一町程先の利根の堤防へ行って見た。堤防と云っても現在水の流れている所までは一里程もあって、その間は真菰《まこも》の生い茂った広々した沼地になっている。

二三発続いて銃声がした。近い所で、急に鴨が頓狂《とんきょう》な声で鳴き立てた。遠くの方で小鴨の一群が飛び立った。銃声は尚《なお》続いた。脅《おびや》かされて、鴨の群は段々高く舞い上った。

同じ堤防の上を此方へ向って二十騎程の騎兵が早足で来る。そして間もなく銃声は止《や》んだ。二人は堤防を下りて引返して来た。

彼方の四つ角で地図を持った士官が二三人の兵隊と何か大声で道の事を訊《き》いていた。小さい田一つへだてた鴨屋の婆《ばあ》さんがやはり大きい声でそれに返事をしていた。士官と兵隊とは急いで教えられた方へ入って行った。

自分達がその四つ角まで来た時に青くびの鴨を一羽、羽交《はがい》で下げた主と出会った。自分はその鴨の無邪気な突きだしている顔を見ると今二三分の間に殺して了うのが不快《ふや》になった。食う為《ため》に買いに来て、余り面白くもない餌飼《えが》いの鴨を持って帰るのも考え物だと思ったが、とにかく殺さずに持って帰る事にした。

鴨屋へ来ると主はそれを持って土間を抜けて裏へ廻った。殺す気かしらと一寸思っ

た。そして少しいやな気をしながら、殺して来たら殺したでもいいと云う気を漠然持った。すると、

「殺しに行ったんじゃないんですか」と従弟が注意した。で、自分も、

「おいおい殺すんじゃないよ」と大声で主に注意した。

「このままお持ちになりますか」主はひねりかけたその手つきのまま、土間へ入って来た。

鴨はあばれもしなければ、鳴きもしなかった。自分達はそれを風呂敷に包んで貰《もら》って、其処を出た。

東源寺近道の棒杭の所まで帰って来ると、其処の百姓家に軍馬が二三匹つないであった。

「兵隊が寝ている。如何《どう》したんだろう」と従弟は百姓家の方を覗《のぞ》き込んで云った。歩きながらだと、反《かえ》って藪垣《やぶがき》をとおして、それがチラチラと見えた。「休んでいるのかしら。帽子は布を巻いてませんね。そうすると先刻《さっき》のは逃げていたんだな」と従弟が云った。

街道へ出ると、五間程先の道端に上半身裸体にされた兵隊が仰向《あおむ》けに背嚢に倚《よ》りかかって寝ていた。一人が看護している。胸にハンケチを当てて、それに水筒から水を

たらしていた。病人は意識も不確らしく眼をつぶったまま、力なく口を開けていた。その癖顔だけは汗ばんでかなりに赤い。変な気がした。立ち止って見るのがいやだった。

それからだらだらの切通しを下りて来ると其処で二百人ばかりの歩兵の一隊と擦れ違った。かなりの急ぎ足で歩いている。隊の中頃へ来て自分は全くまいって了った一人の兵隊を見た。両側から一人ずつその腋《わき》の下に腕を差し込んでまいったままにどんどん隊の歩度で急いで行く。その兵隊はもう眼を開《あ》いてはいなかった。そして泥酔《でいすい》した人のように、肩に据《すわ》らない首を一足毎《ごと》に仰向けに、或いは右に左に振っていた。

同じような人が又来た。その顔には何の表情もない。苦痛の表情さえも現れない程苦しいのだと云う気がした。丁度踏切りを越える時に足がレールの僅《わずか》な溝《みぞ》に引懸ると、その人は突き飛ばされたように前へのめって了った。支えていた兵隊の腕にも力はなかった。そして倒れた人は何も云わない。倒れたきりでいる。

急ぎ足の隊は其処で一寸さえぎられると後から後から人が溜《たま》りかけた。

「止っちゃいかん」と士官が大きい声で云った。流れの水が石で分れるように人々は其処で二つに分れて過ぎた。人々の眼は倒れた人を見た。然し黙っている。皆《みんな》は見ながら黙って急ぐ。

「おい起《た》て。起たんか」頭の所に立っていた伍長《ごちょう》が怒鳴った。一人が腕を持って引き起そうとした。伍長は続け様に怒鳴った。倒れた人は起きようとした。俯伏《うつぶ》しに延び切った身体を縮めて一寸腰の所を高くした。然しもう力はなかった。直ぐたわいなくつぶれて了う。二三度その動作を繰り返した。芝居で殺された奴が俯伏しになった場合よくそう云う動作をする。それが一寸不快に自分の頭に映った。倒れた人は一年志願兵だった。他《ほか》の兵隊から見ると脊《せ》も低く弱そうだった。

「これは駄目だ。物を去《と》ってやれ」と士官が云った。踏切番人のかみさんが手桶《ておけ》に水をくんで急いで来た。自分はそれ以上見られなかった。何か狂暴に近い気持が起って来た。そして涙が出て来た。

後から来た従弟が、

「眠っちゃいかん、眠っちゃいかんって切《しき》りに云ってましたよ」と云った。

五六間来ると其処にも一人倒れていた。力なく半分閉じた眼をしていながら、その兵隊は上半身裸体のまま起き上って歩き出そうとする。それも全く口をきかずに。

「起きんでいい。起きんでいい」と看護している兵隊が止めた。一人の兵隊が下の田《たん》圃《ぼ》で田の水を水筒に入れていた。従弟は妙な顔をして、それを自分に示した。

十間程来ると其処に又一人倒れていた。どれもこれも、ぼんやりと何の表情もない顔をしている。

自身の背嚢の上に更に二つ背嚢を積み上げ、両の肩に銃を一挺《ちょう》ずつかけて、黙々として一人歩いて来る若い小柄な兵隊に出会った。

少し行くと又一人倒れていた。

「水を少し貰えませんか」それを看護している兵隊が丁度其処へ通りかかった四人連れの兵隊を見上げて声をかけた。「両方一滴もなくなっちゃった」

「少しあるだろう」とこういってその内の一人が立ち止って自身の水筒を抜いて渡した。

兵隊は眼をつぶって仰向けになっている兵隊の口にそれから僅な量をたらし込んだ。次に額に二三滴、ハンケチをかけた胸に二三滴、丁度儀式か何かのようにたらすと、その僅な水も使いきらぬようにして礼を云って立っている兵隊に返した。その兵隊は水筒を受け取ると仲間を追って馳《か》けて行った。

自分達はそれからも二三町の間に尚四五人そう云う人々を見た。

小学校の前で従弟と別れた。そして夕方の畑道を急いで来た。自分は一人になると又興奮して来た。それは余りに明《あきら》か過ぎる事だと思った。それは早晩如何《どん》な人にもハッキリしないではいない事がらだ。何しろ明か過ぎる事だ、と思った。総《すべ》ては全く無知から来ているのだと思った。

自分は不知《いっか》、道を間違えていた。まがる所をまがらずに来たのだ。子《ね》の神《かみ》の入口まで行って自家《うち》の方へ引きかえして来た。

帰ると直ぐ自分は風呂敷の鴨を出して見た。羽がいを交叉《こうさ》してその下に首を仰向けに差し込んであった。この間まで鳩を入れて置いた小屋の中で自分はそれを自由にしてやった。然し鴨は半死《はんじに》になっていた。羽ばたきをして地面をかけようとするが首がもう上らない。のどを延ばして、それを地面にすりつけて只もがいた。自分は出して池へ放して見た。然し何故《なぜ》か真直ぐには浮ばない。直ぐ裏がえしになって白い腹を見せ、ばたばた騒いだ。自分は重ね重ね不愉快になった。

「おや、お父様が鴨を買っていらした。とうとよ」こんな事をいって妻が小さい女の子を抱いて出て来た。

「見るんじゃない。彼方《むこう》へ行って……」自分は何という事なし不機嫌に云った。そして鴨は女中を呼んで隣の百姓へやって、殺して貰った。それを自家《うち》で食う気はもうしなかった。翌日それは他《よそ》へ送ってやった。

流行感冒

上

最初の児《こ》が死んだので、私達には妙に臆病《おくびょう》が浸込《しみこ》んだ。健全に育つのが当然で、死ぬのは例外だという前からの考は変らないが、一寸《ちょっと》病気をされても私は直ぐ死にはしまいかという不安に襲われた。それで医学の力は知れたものだと云い云いやはり直ぐ医者を頼りにした。自分でも恥かしい気のする事があった。田舎だから四囲の生活との釣合い上でも子供を余りに大事にするのは眼立ってよくなかった。

百姓家の洟《はな》を垂した男の児が私の左枝子《さえこ》よりももっと幼い児をおぶって、秋雨のしとしとと降る夕方などに、よく傘もささずに自家《うち》の裏山に初茸《はつたけ》を探しに来る事がある。項《うなじ》を直角に、仰向《あおむ》いて眠っている赤児の顔は濡れ放題だ。そして平気でいつまでもいつまでもうろついている。それらを見る時一寸変な気がする。乱暴過ぎると眉《まゆ》を顰《ひそ》めるような気持にもなるが、何方《どっち》が本統か知れないという気にもなる。自分達のやり方が案外利口馬鹿なのだとも思えて来る。然《しか》し、こう思う事で子供に対する私の神経質な注意は実は少しも変らなかった。

「去年はああ癖をつけて了《しま》ったから仕方がありませんが、この秋からは余《あん》り厚着をさせないように慣らさないといけませんよ」夏の内、こんな事を妻はよく云った。私もそれは賛成だったが、段々涼しくなるにつれて、いつか前年通りの厚着癖をつけさして了った。そして私は、

「一体お前は寒がらない性《たち》だからね。自分の体で人まで推すと間違うよ」などと云った。

「お父様は又、人一倍お寒がりなんですもの……」夏頃頻《しき》りに云っていた割には妻もたわいなく厚着を認めて了った。

或時長い旅行から帰って来た友達の細君が、「○○さんが左枝ちゃんを大事になさる評判は日本《にっぽん》中に弘《ひろ》まっていましたわ」といって笑った。友達の細君は行く先々の親類、知人の家《うち》でその話を聴いたと云うのだ。それは大袈裟《おおげさ》だが、人々が私のそれを話し合って笑っているような気のする事はよくあった。然しそれは私にとって別に悪くはなかった。私達が左枝子の健康に絶えず神経質である事を知っていて貰《もら》えば、人も自然、左枝子には神経質になってくれそうに思えたからだ。例えば私達のいない所で或人が左枝子に何か食わそうとする。ところがその人は直ぐ一寸考えてくれる。私達ならどうするかと考えてくれる。で、結局無事を願って食わすのをやめてくれるかも知れない。そうあって私は欲しいのだ。殊《こと》に田舎にいると、その点を厳格にしないと

危険であった。田舎者は好意から、赤児に食わしてならぬ物でも、食わしたがるからである。

私の生れる半年程前に三つで死んだ兄がある。祖母に云わせると、それは利巧者だったそうだが、守《もり》が、使いの出先で何か食わせたのが原因で、腹をこわし、死んで了った。左枝子にそんな事があっては困る。それ故《ゆえ》、私は自分の神経質を笑われるような場合にも少しも隠そうとは思わなかった。

流行性の感冒が我孫子《あびこ》の町にもはやって来た。私はそれをどうかして自家《うち》に入れないようにしたいと考えた。その前、町の医者が、近く催される小学校の運動会に左枝子を連れて来る事を妻に勧めていた。然しその頃は感冒がはやり出していたから、私は運動会へは誰もやらぬ事にした。実際運動会で大分病人が多くなったと云う噂《うわさ》を聴いた。私はそれでも時々東京に出た。そして可恐《こわごわ》々自動電話をかけたりした。然し幸《さいわい》に自家の者は誰も冒されなかった。隣まで来ていて何事もなかった。女中を町へ使《つかい》にやるような場合にも私達は愚図々々店先で話し込んだりせぬようにと喧《やかま》しくいった。女中達も衛生思想からではなしに、我々の騒ぎ方に釣り込まれて、恐ろしがっている風だった。とにかく可恐がっていてくれれば私は満足だった。

我孫子では毎年《まいとし》十月中旬に町の青年会の催しで旅役者の一行を呼び、元の小学校の校庭に小屋掛をして芝居興行をした。夜芝居《よしばい》で二日の興行であった。私の家《うち》でも毎年その日は女中達をやっていた。然し今年だけは特別に禁じて、その代り感冒《かぜ》でもなくなったら東京の芝居を見せてやろうというような事を私は妻と話していた。

「こんな日に芝居でも見に行ったら、誰でもきっと風邪をひくわねえ」庭の井戸で洗濯をしていた石が縁を掃いているきみに大きい声でこんな事をいっていたそうだ。妻から聞いた。見す見す病人をふやすに決った、そんな興行を何故《なぜ》中止しないのだろうと思った。

私は夕方何かの用で一寸町へいった。薄い板に市川某《なにがし》、尾上某《おのえなにがし》と書いた庵看板《いおりかんばん》が旧小学校の前に出してあった。小屋は舞台だけに幕の天井があって見物席の方は野天《のてん》で、下は藁《わら》むしろ一枚であった。余り聞いた事もない土地から贈られた雨ざらしの幟《のぼり》が四五本建っていた。こういえば総《すべ》てが見窄《みすぼら》しいようであるが、若い男や若い女達が何となく亢奮《こうふん》して忙《せわ》しそうに働いているところは中々景気がよかった。沼向うからでも来たらしい、いい着物を着た娘達が所々にかたまって場の開《あ》くのを待っていた。

帰って来る途《みち》、鎮守神《ちんじゅがみ》の前で五六人の芝居見に行く婆《ばあ》さん連中《れんじゅう》に会った。申し合せたように手織木綿のふくふくした半纏《はんてん》を着て、提灯《ちょうちん》と弁当を持って大きい声で何か話しながら来る。或者は竹の皮に包んだ弁当をむき出しに大事そうに持っていた。皆《みんな》の眼中には流行感冒などあるとは思えなかった。私は帰ってこれを妻に話して「明後日《あさって》あたりからきっと病人がふえるよ」と云った。

その晩八時頃まで茶の間で雑談して、それから風呂に入った。前晩はその頃はもう眠っていたが、その晩は風呂も少し晩《おそ》くなっていた。

二人が済んだ時に、

「空《あ》いたよ。余《あん》りあつくないから直ぐ入るといいよ」妻は台所の入口から女中部屋の方へそう声をかけた。「はい」ときみが答えた。

「石はどうした。いるか？」私は茶の間に坐ったまま訊《き》いてみた。

「石もいるだろう？」と妻が取り次いでいった。

「一寸元右衛門《もとえもん》の所へ行きました」

「何しにいった」私は大きい声で訊いた。これは怪しいと思ったのだ。

「薪《まき》を頼みに参りました」

「もう薪がないのかい？　……又何故《なぜ》夜なんか行ったんだろう。明るい内、いくらも暇があったのに」と妻も云った。

きみは黙っていた。

「そりゃいけない」と私は妻にいった。「そりゃお前、元右衛門の家《うち》へ行ったところで、夫婦共芝居に行って留守に決ってるじゃないか。石はきっと芝居へ行ったんだ。二人共いなかったから、それを頼みに出先へ行ったといって芝居を見に行ったんだ」

「でも、今日石は何か云ってたねえ、きみ。ほら洗濯している時。まさかそんな事はないと思いますわ」

「いや、それは分らない。きみ、お前直ぐ元右衛門の所へいって石を呼んでおいで」

「でも、まさか」と妻は繰り返した。

「薪がないって、今いったって、あしたの朝いったって同じじゃないか。あしたの朝焚《た》くだけの薪もないのか？」

「それ位あります」きみは恐る恐る答えた。

「何しろ直ぐお前、迎えにいっておいで」こう命じて、私は不機嫌な顔をしていた。

「貴方《あなた》があれ程いっていらっしゃるのをよく知っているんですもの、幾らなんでも……」

そんな事をいって妻も茶の間に入って来た。

二人は黙っていた。女中部屋で何かごとごといわしていたが、その内静かになったので、私は、

「きみはきっと弱っているよ。元右衛門の所にいない事を知っているらしいもの。居

れば直ぐ帰って来るが、直ぐでないと芝居へ行っていたんだ。何しろ馬鹿だ。何方《どっち》にしろ馬鹿だ。行けば大馬鹿だし。行かないにしても疑われるにきまった事をしているのだからね。順序が決り過ぎている。行ったら居なかったから、それを云いに行ったという心算《つもり》なんだ」

妻は耳を欹《そばだ》てていたが、

「きみは行きませんわ」と云った。

「呼んで御覧」

「きみ。きみ」と妻が呼んだ。

「はい」

「行かなかったのかい。……行かなかったら、早く御風呂へ入るがいいよ」

「はい」きみは元気のない声で答えた。

「きっともう帰って参りますよ」妻はしきりに善意にとっていた。

「帰るかも知れないが、何しろあいつはいかん奴だ。若《も》しそんなうまい事を前に云って置きながら行ったなら、出して了え。その方がいい」

私達二人は起きていようと云ったのではなかったが、もう帰るだろうという気をしながら茶の間で起きていた。私は本を見て、妻は左枝子のおでんちを縫っていた。そして十二時近くなったが、石は帰って来なかった。

「行ったに決ってるじゃないか」

「今まで帰らないところを見ると本統に行ったんでしょうね。本統に憎らしいわ、あんなうまい事を云って」

私は前日東京へ行っていたのと、少し風邪気だったので、万一を思い、自分だけ裏の六畳に床をとらして置いた。丁度左枝子が眼をさまして泣き出したので、妻は八畳の方に、私は裏の六畳の方へ入った。私は一時頃まで本を見て、それからランプを消した。

間もなく飼犬がけたたましく吠えた。然し直ぐ止《や》めた。石が帰ったなと思った。戸の開く音がするかと思ったが、そんな音は聞えなかった。

翌朝《よくあさ》眼をさますと私は寝たまま早速妻を呼んだ。

「石はなんて云っている」

「芝居へは行かなかったんですって。元右衛門のおかみさんも風邪をひいて寝ていて、それから石の兄さんが丁度来たもんで、つい話し込んで了ったんですって」

「そんな事があるものか。第一元右衛門のかみさんが風邪をひいているなら其処《そこ》に居るのだっていけない。石を呼んでくれ」

「本統に行かないらしいのよ。風邪が可恐いからといって兄さんにも止めさせたんですって。兄さんも芝居見に出て来たんですの」

「石。石」私は自分で呼んだ。妻は入れ代って彼方《むこう》へ行って了った。

「芝居へ行かなかったのか？」

「芝居には参りません」いやに明瞭《はっきり》した口調で答えた。

「元右衛門のかみさんが風邪をひいているのに何時《いつ》までもそんな所にいるのはいけないじゃないか」

「元右衛門のおかみさんは風邪をひいてはいません」

「春子がそういったぞ」

「風邪ひいていません」

「とにかく疑われるに決った事をするのは馬鹿だ。若し行かないにしても行ったろうと疑われるに決った事ではないか。……それで薪はどうだった」

「沼向うにも丁度切ったのがないと云ってました」

「お前は本統に芝居には行かないね」

「芝居には参りません」

私は信じられなかったが、答え方が余りに明瞭《はっきり》していた。疚《やま》しい調子は殆《ほとん》どなかった。縁に膝《ひざ》をついている石の顔色は光を背後《うしろ》から受けていて、まるで見えなかったが、その言葉の調子には偽りを云っているようなところは全くなかった。それ故妻は素直に石のいった通りに信じている。私もそうかも知れないという気を持った。が、何だか腑《ふ》に落ちなかった。調べれば直ぐ知れる事だが調べるのは不愉快だった。後で私は「ああはっきり云うんなら、それ以上疑うのは厭《いや》だ。……然しともかくあいつは嫌いだ」こんな事を妻にいった。

「そりゃあ、ああ云っているんですもの、まさか嘘《うそ》じゃありますまいよ」

「なるべく然し左枝子を抱かさないようにしろよ」

根戸《ねど》にいる従弟《いとこ》が来たので、私は上の地面の書斎へ行って話していた。そして暫《しば》くするとキャアキャアという左枝子の声がして、それを抱いた石を連れて妻が登って来た。石はもう平常《へいぜい》通りの元気な顔をして左枝子の対手《あいて》になって、何かいっている。私は一番先に妻の無神経に腹を立てた。

「おじちゃま御機嫌よう」こんな調子に少し浮き浮きしている妻に、

「馬鹿。石に左枝子を抱かしてちゃあ、いけないいじゃないか。二三日はお前左枝子を抱いちゃあ、いけない」私は不機嫌を露骨に出していった。妻も石もいやな顔をした。

「いらっちゃい」妻は手を出して左枝子を受け取ろうとした。妻は石に同情しながら

慰めるわけにも行かない変な気持でいるらしかった。すると左枝子は、

「ううう、ううう」と首を振った。

「いいえ、いけません。いいや御用。ちゃあちゃんにいらっしゃい」

「ううう、ううう」左枝子は未《ま》だ首を振っていた。石は少しぼんやりした顔をしていたが、妻にそれを渡すと、そのまま小走りに引きかえして行った。その後を追って、左枝子が切《しき》りに、

「いいや！　いいや！」と大きな声を出して呼んだが、石は振りかえろうともせず、うつ向いたまま駈《か》けて行って了《しま》った。


私は不愉快だった。如何《いか》にも自分が暴君らしかった。——それより皆《みんな》から暴君にされたような気がして不愉快だった。石は素《もと》より、妻や左枝子までが気持の上で自分とは対岸に立っているように感ぜられた。いやに気持が白けて暫くは話もなかった。間もなく従弟は裏の松林をぬけて帰って行った。それから三十分程して私達も下の母屋《おもや》へ帰って行った。

「石。石」と妻が呼んだが、返事がなかった。

「きみ。きみもいないの？　……まあ二人共何処《どこ》へいったの？」


妻は女中部屋へいって見た。

「着物を着かえて出かけたようよ」

「馬鹿な奴だ」

私はむッとして云った。

私には予《かね》てから、そのまま信じていい事は疑わずに信ずるがいいという考があった。誤解や曲解から悲劇を起すのは何より馬鹿気た事だと思っていた。今朝石が芝居には行かなかったと断言した時に、私はそのままになるべく信じられたら信じてやりたく思っていた。実際、嘘に決っているという風にも考えなかった。半信半疑のまま、その半疑の方をなくなそうと知らず知らず努力していた形であった。ところが半信半疑と思いながら実は全疑していたのが本統だった。こういう気持の不統一は、それだけで既にかなり不愉快であった。ところで二人共逃げて行った。私は益々不愉快になった。そして若しも石が実際行かなかったものなら、自分の疑い方は少し残酷過ぎたと思った。石が沼向うの家《うち》に帰って、泣きながら両親や兄にそれを訴えている様子さえ想《おも》い浮ぶ。誰が聞いても解《わか》らず屋の主人である。つまらぬ暴君である。第一自分はそういう考を前の作物《さくぶつ》に書きながら、実行ではそのまるで反対の愚《ぐ》をしている。これはどういう事だ。私は自分にも腹が立って来た。

「お父様があんまり執拗《しつこ》くおうたぐりになるからよ。行かない、とあんなにはっきり云っているのに、左枝子を抱いちゃあいけないの何の……誰だってそれじゃあ立つ瀬がないわ」

気がとがめている急所を妻が遠慮なくつッ突き出した。私は少しむかむかとした。

「今頃そんな事をいったって仕方がない。今だって俺は石のいう事を本統とは思っていない。お前まで愚図々々いうと又癇癪《かんしゃく》を起すぞ」私は形勢不穏を現す眼つきをして嚇《おど》かした。

「お父様のは何かお云い出しになると、執拗《しつこ》いんですもの、自家《うち》の者ならそれでいいかも知れないけど……」

「黙れ」

女中が二人共いなくなったら覿面《てきめん》に不便になった。ちょこちょこ歩き廻る左枝子を常に一人は見ていなければならなかった。そして私は左枝子の守りは十五分とすると もう閉口した。他《ほか》に誰か居ればそれ程でもないが、一人で遊ばすと私の方でも左枝子の方でも直ぐ厭《あ》きて了った。

「いいや！　いいや！」左枝子は時々そういって女中を呼んだ。石もきみも左枝子は「いいや」であった。妻は如何《いか》にも不愉快らしく口数をきかずに、左枝子を負ぶって働いていた。

「晩めしはあるか」

「たきますわ」

「菜《さい》はどうだ」

「左枝子を遊ばしてて下されば、これから町へいってお魚か何か取って来ますわ」

「町の使は俺がいってやる。それに二人共ほっても置けない。遠藤と元右衛門の所へいって話して来よう」この二人が二人を世話してよこしたのである。

「そうして頂きたいわ」

四時頃だった。私は財布と風呂敷を持って家《うち》を出た。

田圃路《たんぼみち》を来ると二三町先の渡舟場《わたしば》の方から三人連れの女が此方《こっち》へ歩いて来るのが見えた。石ときみと、それから石の母親らしかった。元右衛門の家の前に立ち止って少時《しばらく》此方を見ていたが三人共入って行った。私は自分の疑い過ぎた点だけはとにかく先に認めてやろう、そしてどうせ先方《むこう》で暇を貰いたいというだろうから、そうしたら、仕方がない暇をやろうと考えた。

元右衛門の屋敷へ入って行くと土間への大戸が閉っていて、その前に石の母親ときみと裸足《はだし》になっている元右衛門のかみさんとが立っていた。きみは泣いた後のような赤い眼をしていた。この事には全く関係がない筈《はず》なのに何故《なぜ》一緒に逃げたり泣いたりするのだろうと思った。

「俺の方も少し疑い過ぎたが……」そう云いかけると、

「馬鹿な奴で、御主人様は為《ため》を思って云ってくれるのを、隣のおかみさんに誘われたとか、おきみさんと三人で、芝居見に行ったりして、今も散々叱言《こごと》を云ったところですが……」母親はこんなに云い出した。私は黙っていた。

「何ネ、二幕とか見たぎりだとか」と母親は元右衛門のかみさんを顧みた。

「私、ちっとも知らなかった」元右衛門のかみさんは自身がそれに全く無関係である事を私に知って貰いたいようにいった。

「やはり行ったのか」

「へえ、己《おのれ》の為を思って下さるのが解らないなんて、何という馬鹿な奴で」

「きみ、お前はこれを持って直ぐ町に行って魚でも何でも買って来てくれ。……それからお前には家でよく話したいから来てくれ」私は石の母親にいった。

「お暇《いとま》になるようなら、これから荷は直ぐお貰《もら》い申して行きたいと思って……」と母親はいった。

「そりゃ、何方《どっち》でもいい」と私は答えた。そして石には暇《ひま》をやる事に心で決めた。

きみが使から帰った時に一緒に行くというので、私だけ一人先に帰って来た。

「やはり行ったんだ」私は妻の顔を見るといった。私は自分の思った事が間違いでなかった事は満足に感じていた。然し明瞭《はっきり》と嘘をいう石は恐ろしかった。左枝子が下痢をした場合、何か他所《よそ》で食わせはしなかったかと訊《き》いた時、食べさせませんと断言をする。或いは、自身が守りをしていて、うっかり高い所から落すとする。そして横腹をひどく打つとする。あとで発熱する。原因が知れない。そういう時、別に何もありませんでしたと断言する。これをやられては困ると私は思った。

「お父様、誰にお聞きになって？」

「石の母親から聞いた。元右衛門の家で今皆《みんな》来るところに会ったのだ」

妻は呆《あき》れたというように黙っていた。

「石はもう帰そう。ああいう奴に守りをさして置くのは可恐《こわ》いよ。今に荷を取りに来る」

石を帰す事には妻も異存ない風であった。然し私はこれから間もなく其処に起るべき不愉快な場面を考えると厭な気持になった。私は一人その間だけその場を避けたいような気も起したが、それは妻も同様なので仕方がなかった。石の親子の来るのを待っていた。何かいって石にお辞儀をされた場合、心に当惑する自分でも妻でもが眼に見えた。然し私は石をそのままに置く事は仕《し》まいと思った。私は暫くこの不愉快な気持を我慢しようと思っていた。

使にやったきみが中々帰って来ない。少し晩過《おそ》ぎる。多少心配になって、私はぶらぶらと又町の方に行ってみた。坂の上まで来た時に丁度他所《よそ》から帰って来た友達に会った。私はその立話で前晩からの石の事を話した。私の話は感情を離れた雑談にはなり得なかった。或余り感じのよくない私情に即《つ》き過ぎていた。友達とは離れ離れな気持であった。私はそんな話を今云い出した事を悔いた。私は別れて町の方へ行った。魚屋へ行くときみは今帰ったところだといった。何処かで擦れ違ったのだ。又元右衛門の所へ帰って来ると、石は何か大きな声で話していたが、私の姿を見ると急いで土間に隠れて了った。其処にきみが来たので皆連れて来るようにいって私は先に帰って来た。

「お前よく云ってくれ。なるべくあっさり云うがいいよ」

「よく云い聞かしても……駄目ね？」と妻は私の顔色を覗《うかが》いながら云った。

「一時は不愉快でも思い切って出して了わないと又同じ事が繰り返るよ」

「そうね」

台所の方に三人が入って来た。妻は左枝子を私に預けて直ぐ女中部屋の方へいった。

左枝子を抱いて縁側を歩いていると石の母親が庭の方から挨拶《あいさつ》に来た。

「永々お世話様になりまして、……」といった。石は末っ子で十三までこの母の乳を飲んだとか、母親には殊《こと》に大事な娘らしかった。石の母親が感じている不愉快は笑顔をしても、丁嚀《ていねい》な言葉遣いをしても隠し切れなかった。顔色が変に悪かった。そして眼が涙を含んでいた。私は気の毒に思った。然しこの年寄った女の胸に渦巻いている、私に対する悪意をまざまざと感ずると、此方《こっち》も余りいい気はしなかった。嘘に対し、私達は子供から厳格過ぎる位厳格に教えられて来た。ところが、石も、石の母親も嘘に対しては、それが嘘に止《とど》まっている場合、何もそんなに騒ぐ事はないと思っているらしかった。却《かえ》ってそれを云い立てて娘を非難する主人の方が遥《はる》かに性《たち》の悪い人間に見えたに違いない。私は石に就て、今度の事はともかくも悪い、然しこれまで石が不正な事をしたと思った事は一度もなかったし、左枝子の事も本統に心配してくれた事は認めているし、というような事を云った。私は石に汚名をつけて出したという事になるのは厭だった。左枝子の為に、これでは安心出来ない自分達の神経質から暇を取って貰うのだからと云う風に、前に「ともかく悪い」といった言葉をさえ緩めて云った。然し母親にはそんな言葉を丁嚀に聴く余裕はなかった。そして荷作りを済ました石を呼んで、石にも挨拶をさせた。石は赤い眼をして工合悪そうに、只お辞儀をした。「お父様」と座敷の内から妻が小手招きをしている。寄って行くと、

「もう少し置いて頂けない？」と小声で哀願するように云った。妻も眼を潤《うる》ませていた。

「狭い土地の事ですから失策で出されたというと、後《あと》までも何か云われて可哀想《かわいそう》ですわ。それに関《せき》の事もありますし、関の家《うち》へはよくしてやって、石の家にはこんな事になったとすると、大変角《かど》が立ちますもの。関の家と石の家とは只でも仲が悪いんですから、こんな事があると尚《なお》ですわ。ね、そうして頂けない？　その内角を立てずに暇を取って貰えば、いいんですもの。石だって今度で懲《こ》りたでしょうよ。もうあんな嘘《うそ》はきっとつきませんよ。……そうして頂けなくって？」

「……そんなら、よろしい」

「ありがとう」

妻は急いで台所の方へいって、石親子が門を出たところを呼び返して来た。

関というのは石と同じ村の者で私の友達の家へ女中にいっていたが、昔私の家の書生だった、ある鉱山の技師と私達が仲人《なこうど》になって結婚さした女である。関の家と石の家とは前から仲がよくなかった。例えば石の家の山を止めさして置いて初茸狩《はつたけが》りに行くような場合、関の家でも何か用意して置くと、自家《うち》のお客様だからと、わざわざ遠廻りまでして私達を関の家へは寄らせぬ算段をした。こんな風だったから私達との事はこのままで済むとしても私達の一方によく、他方に悪かった事が後まで両方の家に思わぬ不快な根を残し兼ねなかったのである。妻としては大出来だった。

その晩私は裏の六畳で床へ入って本を見ていると、

「今ね」そう云いながら妻はにこにこして入って来た。

「旦那様はそりゃ可恐い方なんだよ。いくら上手に嘘をついたって皆《みんな》心の中を見《み》透《とお》しておしまいになるんだからね……、こう云ってやったら、びっくりしたような顔をして、はあ、はあ、って云ってるの」妻はくすくす笑いながら首を縮めた。

「馬鹿」

「いいえ、その位に云って置く方がいいのよ」妻は真面目《まじめ》な顔をした。

下

ところが石は未《ま》だ本統の事を云っていなかった。実は一人で行ったのであった。それをきみまで同類にして知らん顔をしていた。この事は少し気に食わなかった。前からきみの行かなかった事を私は知っていた。少くも十一時半までは家にいたのを私は知っていた。私の怒っているのを承知でそれから出掛けるのも変だし、万一出掛けたとすればそれは石を迎いに行ったに違いないと思っていた。ところが石は母親にきみと一緒に行ったといって、そのままにしている。私は、或時それを妻に云うかも知れないと待つような気持でいた。然《しか》し石は遂《つい》にその事は知らん顔をして了《しま》った。忘れて了ったのかも知れない。とにかく妻の御愛嬌《あいきょう》な嚇《おど》しは余り役には立っていなかった。

石は全く平常《ふだん》の通りになって了った。然し私は前のような気持では石を見られなかった。何だか嫌《きらい》になった。それは道学者流に非難を持つというよりはもっと只《ただ》何となく厭《いや》だった。私は露骨に石には不愛想な顔をしていた。

三週間程経《た》った。流行感冒も大分下火になった。三四百人の女工を使っている町の製糸工場では四人死んだというような噂《うわさ》が一段落ついた話として話されていた。私は気をゆるした。丁度上の離れ家の廻りに木を植える為《ため》にその頃毎日二三人植木屋がはいっていた。Yから貰《もら》った大きな藤の棚を作るのにも、少し日がかかった。私は毎日植える場所の指図や、或時は力業《ちからわざ》の手伝いなどで昼間は主《おも》に植木屋と一緒に暮していた。

そしてとうとう流行感冒に取り附かれた。植木屋からだった。私が寝た日から植木屋も皆来なくなった。四十度近い熱は覚えて初めてだった。腰や足が無闇《むやみ》とだるくて閉口した。然し一日苦しんで、翌日になったら非常によくなった。ところが今度は妻に伝染した。妻に伝染する事を恐れて直ぐ看護婦を頼んだが間に合わなかったのだ。この上はどうかして左枝子にうつしたくないと思って、東京からもう一人看護婦を頼んだ。一人は妻に一人は左枝子につけて置く心算《つもり》だったが、母と離されている左枝子は気むずかしくなって、中々看護婦には附かなかった。間もなくきみが変になった。用心しろと喧《やかま》しく云っていたのに無理をしたので尚悪くなった。人手がないのと、本人が心細がって泣いているので、時々此方《こっち》の医者に行って貰う事にして、俥《くるま》で半里程《はんみち》ある自身の家へ送ってやった。然し暫《しばら》くするとこれはとうとう肺炎になって了った。

今度は東京からの看護婦にうつった。今なら帰れるからとかなり熱のあるのを押して帰って行った。仕舞に左枝子にも伝染《うつ》って了って、健康なのは前にそれを済ましていた看護婦と、石とだけになった。そしてこの二人は驚く程によく働いてくれた。

未《ま》だ左枝子に伝染《うつ》すまいとしている時、左枝子は毎時《いつも》の習慣で乳房を含まずにはどうしても寝つかれなかった。石がおぶって漸《よう》く寝つかせたと思うと直ぐ又眼を覚して暴れ出す。石は仕方なく、又おぶる。西洋間といっている部屋を左枝子の部屋にして置いて、私は眼が覚めると時々その部屋を覗《のぞ》きに行った。二枚の半纏《はんてん》でおぶった石がいつも坐ったまま眼をつぶって体を揺《ゆす》っている。人手が足りなくなって昼間も普段の倍以上働かねばならぬのに夜はその疲れ切った体でこうして横にもならずにいる。私は心から石にいい感情を持った。私は今まで露骨に邪慳《じゃけん》にしていた事を気の毒でならなくなった。全体あれ程に喧しくいって置きながら、自身輸入して皆に伝染し、暇を出すとさえ云われた石だけが家の者では無事で皆の世話をしている。石にとってはこれは痛快でもいい事だ。私は痛快がられても、皮肉をいわれても仕方がなかった。ところが石はそんな気持は気振りにも見せなかった。只一生懸命に働いた。普段は余りよく働く性《たち》とは云えない方だが、その時はよく続くと思う程に働いた。その気持は明瞭《はっきり》とは云えないが、想《おも》うに、前に失策をしている、その取り返しをつけよう、そう云う気持からではないらしかった。もっと直接な気持かららしかった。私には総《すべ》てが善意に解せられるのであった。私達が困っている、だから石は出来るだけ働いたのだ。それに過ぎないと云う風に解《と》れた。長いこと楽しみにしていた芝居がある、どうしてもそれが見たい、嘘をついて出掛けた、その嘘が段々仕舞には念入りになって来たが、嘘をつく初めの単純な気持は、困っているから出来るだけ働こうと云う気持と石ではそう別々な所から出たものではない気がした。

私達のは幸に簡単に済んだが肺炎になったきみは中々帰って来られなかった。そして病人の中にいて、遂にかからずに了った石はそれからもかなり忙《せわ》しく働かねばならなかった。私の石に対する感情は変って了った。少し現金過ぎると自分でも気が咎《とが》める位だった。

一カ月程してきみが帰って来た。暫くすると、それまで非常によく働いていた石は段々元の杢阿弥《もくあみ》になって来た。然し私達の石に対する感情は悪くはならなかった。間抜けをした時はよく叱りもした。が、じりじりと不機嫌な顔で困らすような事はしなくなった。大概の場合叱《しか》って三分《ぷん》あとには平常《ふだん》の通りに物が云えた。

四谷に住んでいるKが正月の初旬から小田原に家《うち》を借りて、家中《うちじゅう》で其処《そこ》へ行く事になったので、私達はそれと入代りに我孫子からKの留守宅に来て住む事にしていた。私には丸五年振りの東京住いである。久し振りの都会生活を私は楽しみにしていた。

その前から石には結婚の話があった。先は我孫子から一里余りある或町の穀屋《こくや》という事だった。私達が東京へ行くのと同時に暇をとるというので、私達もその気で後を探したが中々いい女中が見当らなかった。

ある時妻は誰からか、石の行く先の男は今度が八度目の結婚だという噂を聴いて、それを石に話した。そしてとにかくもっとよく調べる事を勧めた。後で妻は私にこんな事をいった。

「石は余り行きたくないんですって。何でもお父さんが一人で乗気で、とにかく行って見ろ、その上で気に入らなかったら、帰って来いって云うんですって。どうも其処が当り前とは大分違いますのね。行く前に充分調べて、行った以上は如何《どん》な事があっても帰って来るな、なら解《わか》っているが、帰るまでも、一度は行って見ろと云うのは変ね」

その後暫くして石の姉が来て、その先は噂の八人妻を更《か》えたという男とは異《ちが》う事が知れた。そして、石は少しも厭ではないのだと姉は云っていたそうだ。

石は先の男がどう云う人か恐らく少しも知らずにいるのではないかと思った。写真を見るとか、見合いをするとかいう事もないらしかった。何しろ田舎の結婚には驚く程暢気《のんき》なのがあるのを私は知っている。結婚して初めて、この家だったのかと思ったというようなのがある。私の家の隣の若い方のかみさんがそれだ。来て見たら、自分の思っていた家の隣だった。そして、貧乏なので失望したという話を私の家の前にいた女中にしたそうだ。然しその家族は今老人夫婦、若夫婦で貧乏はしているらしいが至極平和に暮している。

「石の支度は出戻りの姉のがあるので、それをそっくり持って行くんですって。何だか直《ちょく》でいいわね」妻は面白がっていた。

石の代りはなかったが、日が来たので私達は運送屋を呼んで東京行きの荷造りをさした。そして翌朝私達も出かけるというその夕方になると、急に石はやはり一緒に行きたいと云いだした。

「何だか、ちっとも解りゃしない。お嫁入りまでにお針の稽古《けいこ》をするから是非暇をくれと云うかと思うと、又急にそんな事を云い出すし。皆が支度をするのを見ている内に、急に羨《うらやま》しくなるのね。子供がそうですわ」と妻がいった。

それを云いに帰った石と一緒に翌朝来た母親は繰り返し繰り返しどうか二月一杯で必ず帰して貰いたいと云っていた。

上京して暫くすると左枝子が麻疹《はしか》をした。幸に軽い方だったが、用心は厳重にした。石もきみもその為には中々よく働いた。一月半程していよいよ石の帰る時が近づいたので、或日二人を近所へ芝居見物にやった。何か恐ろしい者が出て来たとか、石は二幕の間どうしても震えが止らなかったのを暫くして、やっと直ったと云う話がある。

いよいよ石の帰る日が来たので、先に荷を車夫に届けさして置いて、丁度天気のいい日だったので、私は妻と左枝子を連れて一緒に上野へ出かけた。停車場《ていしやじよう》で車夫から受け取った荷を一時預けにして置いて、皆で動物園にいった。そして二時何分かに又帰って改札口で石を送ってやった。

私達には永い間一緒に暮した者と別れる或気持が起っていた。少し涙ぐんでいた石にもそれはあったに違いない。然しその表れ方が私達とは全く反対だった。石は甚《ひど》く不愛想になって了った。妻が何かいうのに碌々《ろくろく》返事もしなかった。別れの挨拶《あいさつ》一つ云わない。そして別れて、プラットフォームを行く石は一度も此方《こっち》を振り向こうとはしなかった。よく私達が左枝子を連れて出掛ける時、門口に立っていつまでも見送っている石が、こうして永く別れる時に左枝子が何か云うのに振り向きもしないのは石らしい反って自然な別れの気持を表していた。

私達が客待自動車に乗って帰って来る時、左枝子はしきりに「いいや、いいや」といっていた。

石がいなくなってからは家の中が大変静かになった。夏から秋になったように淋しくも感ぜられた。

「芝居を見にいった時、出さなくてやっぱりよかった」

「石ですか?」と妻がいった。

「うん」

「本統に。そんなにして別れるとやっぱり後で寝覚めが悪う御座いますからね」

「あの時帰して了えば石は仕舞まで、厭な女中で俺達の頭に残るところだったし、先方《むこう》でも同様、厭な主人だと生涯思うところだった。両方とも今とその時と人間は別に変りはしないが、何しろ関係が充分でないと、いい人同士でもお互に悪く思うし、それが充分だといい加減悪い人間でも憎めなくなる」

「本統にそうよ。石なんか、欠点だけ見れば随分ある方ですけれど、又いい方を見ると中々捨てられないところがありますわ」

「左枝子の事だと中々本気に心配していたね」

「そうよ。左枝子は本統に可愛《かわい》いらしかったわ」

「居なくなったら急によくなったが、左枝子が本統に可愛かったは少し慾目《よくめ》かな。そうさえしていれば此方《こっち》の機嫌はいいからね」

「全くのところ、幾らかそれもあるの」といって妻も笑った。「だけど、それだけじゃ、ありませんわ。この間もきみと二人で何を怒っているのかと思ったら、Tさんが、左枝ちゃんは別嬪《べっぴん》さんになれませんよ、と仰有《おっしゃ》ったって二人で怒っているの。何故《なぜ》そんな事を仰有ったか分らないけれど、Tさんは大嫌いだなんて云ってるの」

二人は笑った。妻は、

「今頃田舎で、嚔《くしゃみ》をしてますよ」と笑った。

石が帰って一週間程経ったある晩の事だ。私は出先から帰って来た。そして入口の鐘を叩《たた》くと、その時戸締りを開けたのは石だった。思いがけなかった。笑いながら石は元気のいいお辞儀をした。

「何時《いつ》来た？」私も笑った。私は別に返事を聴く気もなしに後の戸締りをしている石を残して茶の間へ来た。左枝子を寝かしていた妻が起きて来た。

「石はどうして帰って来たんだ」

「私がこの間端書《はがき》を出した時、お嫁入りまでに若《も》し東京に出る事があったら是非おいで、と書いたら、それが読めないもんで、学校の先生の所へ持っていって読んで貰ったんですって。するとこれは是非来いという端書だというんで早速飛んで来たんですって」

「丁度いい。で、暫くいられるのか？」

「今月一杯いられるとか」

「そうか」

「帰ったらお嬢様の事ばかり考えているんで、自家《うち》の者から久し振りで帰って来て、何をそんなにぼんやりしてるんだと云われたんですって」

石は今、自家《うち》で働いている。不相変《あいかわらず》きみと一緒に時々間抜けをしては私に叱られているが、もう一週間程すると又田舎へ帰って行く筈《はず》である。そして更に一週間すると結婚する筈である。良人《おっと》がいい人で、石が仕合せな女となる事を私達は望んでいる。

小僧の神様

一

仙吉《せんきち》は神田のある秤屋《はかりや》の店に奉公している。

それは秋らしい柔かな澄んだ陽ざしが、紺の大分はげ落ちた暖簾《のれん》の下から静かに店先に差し込んでいる時だった。店には一人の客もない。帳場格子《ごうし》の中に坐って退屈そうに巻煙草《たばこ》をふかしていた番頭が、火鉢の傍《そば》で新聞を読んでいる若い番頭にこんな風に話しかけた。

「おい、幸《こう》さん。そろそろお前《こう》の好きな鮪《まぐろ》の脂身《あぶらみ》が食べられる頃だネ」

「ええ」

「今夜あたりどうだね。お店を仕舞ってから出かけるかネ」

「結構ですな」

「外濠《そとぼり》に乗って行けば十五分だ」

「そうです」

「あの家のを食っちゃア、この辺のは食えないからネ」

「全くですよ」

若い番頭からは少し退《さが》った然《しか》るべき位置に、前掛の下に両手を入れて、行儀よく坐っていた小僧の仙吉は、「ああ鮨屋《すしや》の話だな」と思って聴いていた。京橋にSと云う同業の店がある。その店へ時々使に遣《つかい》られるので、その鮨屋の位置だけはよく知っていた。仙吉は早く自分も番頭になって、そんな通《つう》らしい口をききながら、勝手にそう云う家の暖簾をくぐる身分になりたいものだと思った。

「何でも、与兵衛《よへえ》の息子が松屋の近所に店を出したと云う事だが、幸さん、お前は知らないかい」

「へえ存じませんな。松屋というと何処《どこ》のです」

「私もよくは聞かなかったが、いずれ今川橋の松屋だろうよ」

「そうですか。で、其処《そこ》は旨《うま》いんですか」

「そう云う評判だ」

「やはり与兵衛ですか」

「いや、何とか云った。何屋とか云ったよ。聴いたが忘れた」

仙吉は「色々そう云う名代《なだい》の店があるものだな」と思って聴いていた。そして、「然し旨いと云うと全体どう云う具合に旨いのだろう」そう思いながら、口の中に溜《たま》って来る唾《つばき》を、音のしないように用心しいしい飲み込んだ。

二

それから二三日した日暮だった。京橋のSまで仙吉は使《つかい》に出された。出掛けに彼は番頭から電車の往復代だけを貰《もら》って出た。

外濠の電車を鍛冶橋《かじばし》で降りると、彼は故《わざ》と鮨屋の前を通って行った。彼は鮨屋の暖簾を見ながら、その暖簾を勢よく分けて入って行く番頭達の様子を想《おも》った。その時彼はかなり腹がへっていた。脂で黄がかった鮪の鮨が想像の眼に映ると、彼は「一つでもいいから食いたいものだ」と考えた。彼は前から往復の電車賃を貰うと片道を買って帰りは歩いて来る事をよくした。今も残った四銭が懐《ふところ》の裏隠しでカチャカチャと鳴っている。

「四銭あれば一つは食えるが、一つ下さいとも云われないし」彼はそう諦《あきら》めながら前を通り過ぎた。

Sの店での用は直ぐ済んだ。彼は真鍮《しんちゅう》の小さい分銅の幾つか入った妙に重味のある小さいボール函《ばこ》を一つ受取ってその店を出た。

彼は何かしら惹《ひ》かれる気持で、もと来た道の方へ引きかえして来た。そして何気なく鮨屋の方へ折れようとすると、不図その四つ角の反対側の横町に屋台で、同じ名の暖簾を掛けた鮨屋のある事を発見した。彼はノソノソと其方《そっち》へ歩いて行った。

三

若い貴族院議員のAは同じ議員仲間のBから、鮨の趣味は握るそばから、手摑《てつか》みで食う屋台の鮨でなければ解《わか》らないと云うような通《つう》を頻《しき》りに説かれた。Aは何時《いつ》かその立食いをやってみようと考えた。そして屋台の旨いと云う鮨屋を教わって置いた。

或日、日暮間もない時であった。Aは銀座の方から京橋を渡って、かねて聞いていた屋台の鮨屋へ行って見た。其処には既に三人ばかり客が立っていた。彼は一寸《ちょっと》躊躇《ちゅうちょ》した。然し思い切ってとにかく暖簾を潜《くぐ》ったが、その立っている人と人との間に割り込む気がしなかったので、彼は少時《しばらく》暖簾を潜ったまま、人の後《うしろ》に立っていた。

その時不意に横合いから十三四の小僧が入って来た。小僧はAを押し退《の》けるようにして、彼の前の僅《わずか》な空《あ》きへ立つと、五つ六つ鮨の乗っている前下がりの厚い欅《けやき》板の上を忙《せわ》しく見廻した。

「海苔巻《のりまき》はありませんか」

「ああ今日は出来ないよ」肥《ふと》った鮨屋の主《あるじ》は鮨を握りながら、尚《なお》ジロジロと小僧を見ていた。

小僧は少し思い切った調子で、こんな事は初めてじゃないと云うように、勢よく手を延ばし、三つ程並んでいる鮪の鮨の一つを摘《つま》んだ。ところが、何故《なぜ》か小僧は勢よく延ばした割にその手をひく時、妙に躊躇した。

「一つ六銭だよ」と主が云った。

小僧は落すように黙ってその鮨を又台の上へ置いた。

「一度持ったのを置いちゃあ、仕様がねえな」そう云って主は握った鮨を置くと引きかえに、それを自分の手元へかえした。

小僧は何も云わなかった。小僧はいやな顔をしながら、その場が一寸動けなくなった。然し直ぐ或勇気を振るい起して暖簾の外へ出て行った。

「当今は鮨も上りましたからね。小僧さんには中々食べきれませんよ」主は少し具合悪そうにこんな事を云った。そして一つを握り終ると、その空《あ》いた手で今小僧の手をつけた鮨を器用に自分の口へ投げ込むようにして直ぐ食って了《しま》った。

四

「この間君に教わった鮨屋へ行って見たよ」

「どうだい」

「中々旨かった。それはそうと、見ていると、皆《みんな》こう云う手つきをして、魚の方を下にして一ぺんに口へ抛《ほう》り込むが、あれが通なのかい」

「まあ、鮪は大概ああして食うようだ」

「何故魚の方を下にするのだろう」

「つまり魚が悪かった場合、舌へヒリリと来るのが直ぐ知れるからなんだ」

「それを聞くとBの通も少し怪しいもんだな」

　Aは笑い出した。

　Aはその時小僧の話をした。そして、

「何だか可哀想《かわいそう》だった。どうかしてやりたいような気がしたよ」と云った。

「御馳走してやればいいのに。幾らでも、食えるだけ食わしてやると云ったら、さぞ喜んだろう」

「小僧は喜んだろうが、此方《こっち》が冷汗ものだ」

「冷汗？　つまり勇気がないんだ」

「勇気かどうか知らないが、ともかくそう云う勇気は一寸出せない。直ぐ一緒に出て他所《よそ》で御馳走するなら、まだやれるかも知れないが」

「まあ、それはそんなものだ」とBも賛成した。

五

Aは幼稚園に通っている自分の小さい子供が段々大きくなって行くのを数《すう》の上で知りたい気持から、風呂場へ小さな体量秤《たいりょうばかり》を備えつける事を思いついた。そして或日彼は偶然神田の仙吉のいる店へやって来た。

仙吉はAを知らなかった。然しAの方は仙吉を認めた。

店の横の奥へ通ずる三和土《たたき》になった所に七つ八つ大きいのから小さいのまで荷物秤が順に並んでいる。Aはその一番小さいのを選んだ。停車場《ていしゃじょう》や運送屋にある大きな物と全く同じで小さい、その可愛《かわい》い秤を妻や子供がさぞ喜ぶ事だろうと彼は考えた。

番頭が古風な帳面を手にして、

「お届け先きは何方様《どちら》で御座いますか」と云った。

「そう……」とAは仙吉を見ながら一寸考えて、「その小僧さんは今、手隙《てすき》かネ？」と云った。

「へえ別に……」

「そんなら少し急ぐから、私と一緒に来て貰えないかネ」

「かしこまりました。では、車へつけて直ぐお供をさせましょう」

Aは先日御馳走出来なかった代り、今日何処かで小僧に御馳走してやろうと考えた。

「それからお所とお名前をこれへ一つお願い致します」金を払うと番頭は別の帳面を出して来てこう云った。

Aは一寸弱った。秤を買う時、その秤の番号と一緒に買手の住所姓名を書いて渡さねばならぬ規則のある事を彼は知らなかった。名を知らしてから御馳走するのは同様如何《いか》にも冷汗の気がした。仕方なかった。彼は考え考え出鱈目《でたらめ》の番地と出鱈目の名を書いて渡した。

六

客は加減をしてぶらぶらと歩いている。その二三間後《うしろ》から秤を乗せた小さい手車を挽《ひ》いた仙吉がついて行く。

或俥宿《くるまやど》の前まで来ると、客は仙吉を待たせて中へ入って行った。間もなく秤は支度の出来た宿俥に積み移された。

「では、頼むよ。それから金は先で貰ってくれ。その事も名刺に書いてあるから」と云って客は出て来た。そして今度は仙吉に向って、「お前も御苦労。お前には何か御馳走してあげたいからその辺まで一緒においで」と笑いながら云った。

仙吉は大変うまい話のような、少し薄気味悪い話のような気がした。然し何しろ嬉《うれ》しかった。彼はペコペコと二三度続け様にお辞儀をした。

蕎麦屋《そばや》の前も、鮨屋の前も、鳥屋の前も通り過ぎて了った。「何処へ行く気だろう」仙吉は少し不安を感じ出した。神田駅の高架線の下を潜って松屋の横へ出ると、電車通を越して、横町の或小さい鮨屋の前へ来てその客は立ち止った。

「一寸待ってくれ」こう云って客だけ中へ入り、仙吉は手車の梶棒《かじぼう》を下して立っていた。

間もなく客は出て来た。その後《あと》から、若い品のいいかみさんが出て来て、

「小僧さん、お入りなさい」と云った。

「私は先へ帰るから、充分食べておくれ」こう云って客は逃げるように急ぎ足で電車通の方へ行って了った。

仙吉は其処で三人前の鮨を平げた。餓《う》え切った痩《や》せ犬が不時の食にありついたかのように彼はがつがつと忽《たちま》ちの間に平げて了った。他《ほか》に客がなく、かみさんが故《わざ》と障子を締め切って行ってくれたので、仙吉は見得も何もなく、食いたいようにして鱈腹《たらふく》に食う事が出来た。

茶をさしに来たかみさんに、

「もっとあがれませんか」と云われると、仙吉は赤くなって、

「いえ、もう」と下を向いて了った。そして、忙《せわ》しく帰り支度を始めた。

「それじゃあネ、又食べに来て下さいよ。お代《だい》はまだ沢山頂いてあるんですからネ」

仙吉は黙っていた。

「お前さん、あの日那とは前からお馴染《なじみ》なの？」

「いえ」

「へえ……」こう云って、かみさんは、其処へ出て来た主と顔を見合せた。

「粋《いき》なんだ。それにしても、小僧さん、又来てくれないと、此方《こっち》が困るんだからネ」

仙吉は下駄を穿《は》きながら只《ただ》無《む》闇《やみ》とお辞儀をした。

七

Aは小僧に別れると追いかけられるような気持で電車通に出ると、其処《そこ》へ丁度通りかかった辻《つじ》自動車を呼び止めて、直ぐBの家《いえ》へ向った。

Aは変に淋しい気がした。自分は先の日小僧の気の毒な様子を見て、心から同情した。そして、出来る事なら、こうもしてやりたいと考えていた事を今日は偶然の機会

から遂行出来たのである。小僧も満足し、自分も満足していい筈《はず》だ。人を喜ばす事は悪い事ではない。自分は当然、或喜びを感じていいわけだ。ところが、どうだろう、この変に淋しい、いやな気持は。何故《なぜ》だろう。何から来るのだろう。丁度それは人知れず悪い事をした後の気持に似通っている。

若《も》しかしたら、自分のした事が善事だと云う変な意識があって、それを本統の心から批判され、裏切られ、嘲《あざけ》られているのが、こうした淋しい感じで感ぜられるのかしら？　もう少し仕た事を小さく、気楽に考えていれば何でもないのかも知れない。自分は知らず知らずこだわっているのだ。然《しか》しとにかく恥ずべき事を行ったというのではない。少くとも不快な感じで残らなくてもよさそうなものだ、と彼は考えた。

その日行く約束があったのでBは待っていた。そして二人は夜になってから、Bの家の自動車で、Y夫人の音楽会を聴きに出掛けた。

晩《おそ》くなってAは帰って来た。彼の変な淋しい気持はBと会い、Y夫人の力強い独唱を聴いている内に殆《ほとん》ど直って了った。

「秤どうも恐れ入りました」細君は案の定、その小形なのを喜んでいた。子供はもう寝ていたが、大変喜んだ事を細君は話した。

「それはそうと、先日鮨屋で見た小僧ネ、又会ったよ」

「まあ。何処《どこ》で？」

「はかり屋の小僧だった」

「奇遇ネ」

Aは小僧に鮨を御馳走してやった事、それから、後《あと》、変に淋しい気持になった事などを話した。

「何故でしょう。そんな淋しいお気になるの、不思議ネ」善良な細君は心配そうに眉《まゆ》をひそめた。細君は一寸《ちょっと》考える風だった。すると、不意に、「ええ、そのお気持わかるわ」と云い出した。

「そう云う事ありますわ。何でだか、そんな事あったように思うわ」

「そうかな」

「ええ、本統にそう云う事あるわ。Bさんは何て仰有《おっしゃ》って？」

「Bには小僧に会った事は話さなかった」

「そう。でも、小僧はきっと大喜びでしたわ。そんな思い掛ない御馳走になれば誰でも喜びますわ。私でも頂きたいわ。そのお鮨電話で取寄せられませんの？」

八

仙吉は空車《からぐるま》を挽いて帰って来た。彼の腹は十二分に張っていた。これまでも腹一杯に食った事はよくある。然《しか》し、こんな旨《うま》いもので一杯にした事は一寸憶《おも》い出せなかった。

彼は不図、先日京橋の屋台鮨屋で恥をかいた事を憶い出した。漸《ようや》くそれを憶い出した。すると、初めて、今日の御馳走がそれに或関係を持っている事に気がついた。若しかしたら、あの場に居たんだ、と思った。きっとそうだ。しかし自分のいる所をどうして知ったろう？　これは少し変だ、と彼は考えた。そう云えば、今日連れて行かれた家《うち》はやはり先日番頭達の噂《うわさ》をしていた、あの家だ。全体どうして番頭達の噂まであの客は知ったろう？

仙吉は不思議でたまらなくなった。番頭達がその鮨屋の噂をするように、AやBもそんな噂をする事は仙吉の頭では想像出来なかった。彼は一途《いちず》に自分が番頭達の噂話を聴いた、その同じ時の噂話をあの客も知っていて、今日自分を連れて行ってくれたに違いないと思い込んで了った。そうでなければ、あの前にも二三軒鮨屋の前を通りながら、通り過ぎて了った事が解らないと考えた。

とにかくあの客は只者ではないと云う風に段々考えられて来た。自分が屋台鮨屋で恥をかいた事も、番頭達があの鮨屋の噂をしていた事も、その上第一自分の心の中まで見透《みとお》して、あんなに充分、御馳走をしてくれた。到底それは人間業ではないと考えた。神様かも知れない。それでなければ仙人だ。若しかしたらお稲荷様《いなり》かも知れない、と考えた。

彼がお稲荷様を考えたのは彼の伯母で、お稲荷様信仰で一時気違いのようになった人があったからである。お稲荷様が乗り移ると身体《からだ》をブルブル震わして、変な予言をしたり、遠い所に起った出来事を云い当てたりする。彼はそれをある時見ていたからであった。然しお稲荷様にしてはハイカラなのが少し変にも思われた。それにしろ、超自然なものだと云う気は段々強くなって行った。

九

Aの一種の淋しい変な感じは日と共に跡方《あとかた》なく消えて了った。然し、彼は神田のその店の前を通る事は妙に気がさして出来なくなった。のみならず、その鮨屋にも自分から出掛ける気はしなくなった。

「丁度よう御座んすわ。自家《うち》へ取り寄せれば、皆《みんな》もお相伴出来て」と細君は笑った。

するとAは笑いもせずに、
「俺のような気の小さい人間は全く軽々しくそんな事をするものじゃあ、ないよ」と云った。

十

仙吉には「あの客」が益々忘れられないものになって行った。それが人間か超自然のものか、今は殆ど問題にならなかった、只無闇とありがたかった。彼は鮨屋の主人夫婦に再三云われたに拘《かかわ》らず再び其処へ御馳走になりに行く気はしなかった。そう附け上る事は恐ろしかった。
彼は悲しい時、苦しい時に必ず「あの客」を想《おも》った。それは想うだけで或慰めになった。彼は何時《いつ》かは又「あの客」が思わぬ恵みを持って自分の前に現れて来る事を信じていた。

作者は此処《ここ》で筆を擱《お》く事にする。実は小僧が「あの客」の本体を確めたい要求から、番頭に番地と名前を教えて貰《もら》って其処を尋ねて行く事を書こうと思った。小僧は其処へ行って見た。ところが、その番地には人の住いがなくて、小さい稲荷の祠《ほこら》があった。

小僧はびっくりした。——とこう云う風に書こうと思った。然しそう書く事は小僧に対し少し惨酷《ざんこく》な気がして来た。それ故《ゆえ》作者は前の所で擱筆《かくひつ》する事にした。

雪の日

——我孫子《あびこ》日誌——

二月八日

昼頃からサラサラと粉雪《こなゆき》が降って来た。

前から我孫子《あびこ》の雪が見たいと云っていたK君が泊りに来ている時で丁度よかった。自分には雪だと妙に家《うち》にじっとしていられない癖があった。それで女中の行く筈《はず》だった町の使《つかい》を引きうけてK君と一緒に家を出る。K君は妻の出して来た、赤城出来の「背負《しょい》ご」を持って行ってくれた。

町への途《みち》にR君の家がある。R君の上の子が風邪をひいていたので、一寸《ちょっと》見舞いに寄る。子供はもう元気にしていた。悪さをして叱《しか》られたとか、涙に濡《ぬ》れた頓狂《とんきょう》な顔をして自分達を見ていた。R君とは直ぐ別れて町へ出る。

わざと廻り路《みち》をして鉄道線路の方へ出た。乾いた所に降り出したので、雪は片端《かたっぱし》から積る。屋根も、道も、木も、藪《やぶ》も、畑も、鉄道線路も、枕木《まくらぎ》の柵《さく》も、見る見る白くなって行った。

自分達の胸には何となく快活な気分が往来している。その辺のどんな一隅でも、そのままで妙に面白く見える。雪には情緒がある。その平常《ふだん》忘れられている情緒が湧《わ》いて来る。これが自分を楽しませる。

停車場《ていしゃば》前の菓子屋に行って妻から頼まれた菓子を買う。八日は去年の夏、生れて三十七日目に亡《な》くなった直康《なおやす》の命日である。剝取暦《はぎとりごよみ》に脱帖があって一週間前から今日の八日が出ていた。女中がなかったりして暫《しばら》く墓参りが出来ずにいた妻は不意に飛んで命日の出た事に何かしら迷信的な気持を持っていた。出掛けに妻はそれを云って何かお供《そなえ》の菓子をと自分に頼んだ。折よく檜《ひ》の葉型をつけた焼饅頭《やきまんじゅう》があった。この饅頭は平常《ふだん》は作らない。それが出来ていた事も多少因縁臭い気がした。それを皆《みな》買って出る。

停車場の入口には寒そうな恰好《かっこう》をした男が三人程雪を眺めて立っていた。

K君に豚肉を買う事を頼んで、自分は魚屋へ行く。魚を買って、K君の来るのを待つ。

魚屋が流行感冒に就て、酒を飲んで、うまい物を食ってさえいれば仮令《たとえ》かかっても決して死ぬ事はない、粗食をして烈《はげ》しく身体を使っている者にかぎって、かかるときっと死ぬようだ、と云う説を真面目《まじめ》に聴かした。

彼方《むこう》からK君が雪風に吹かれながら、前屈《まえかが》みの急ぎ足でやって来る。自分は魚屋の軒を離れた。

炭屋に行く。二俵と頼まれて来たのを勝手に四俵と云いつける。こう云う日にはこんな物の多い方が気持がいいので。

米屋に行く。腰障子を開けると三造《さんぞう》の家内が店先にかけていた。その足下に自家《うち》のエス（小犬）が居た。米を頼む。

「Mさんの婆《ば》ァやが死んだそうだネ」と云うと、

「はあ……」と云って三造の家内はお辞儀をした。一週間程前、流行感冒で死んだのである。Mさんの別荘番で越後から来ていた女であった。三造の家内の唯一《ゆいいつ》の親友で甚《ひど》く力を落していると云う噂《うわさ》を自分は聴いていた。

「エス、来るか？」と云うと、エスは一寸迷っていたが従《つ》いて来た。

郵便局による。的《あて》にしていた郵便物はまだ来ていなかった。

それから八百屋に寄って蜜柑《みかん》と林檎《りんご》を買う。

町から畑道へ入る。四十分程の間に雪はかなり積った。

柳《やなぎ》の家《うち》へ寄る。座敷でピアノの音がして、K子さんが東京から来たお弟子に歌を教えていた。柳は離れの書斎を石油ストォヴで温かくして勉強していた。

今日はリーチが来る筈だと柳が云う。

間もなく稽古《けいこ》をすましたK子さんが入って来た。そしてお弟子から貰《もら》ったものがあるからと晩飯を勧めた。

色々な荷物があるので自分だけとにかく一度帰って来る事にする。

雪は降って降っている。書斎から細い急な坂をおりて、田圃路《たんぼみち》に出る。沼の方は一帯に薄墨ではいたようになって、何時《いつ》も見えている対岸が全く見えない。沼べりの枯葭《かれよし》が穂に雪を頂いて、その薄墨の背景からクッキリと浮き出している。その葭の間に、雪の積った細長い沼船が乗捨ててある。本統に絵のようだ。東洋の勝《すぐ》れた墨絵が実にこの印象を確に摑《つか》み、それを強い効果で現している事を今更に感嘆した。所謂《いわゆる》印象だけではなく、それから起って来る吾々《われわれ》の精神の勇躍をまで摑んでいる点に驚く。そして自分は目前のこの景色に対し、彼等の表現外に出て見る事はどうしても出来ない気がした。

自家《うち》では妻と四つになる留女子《るめこ》とが待っていた。暫く温かにしてある部屋で一緒に遊ぶ。

橋本君と一緒に上京して今日は多分帰るまいと思っていたFさんが、頭から肩掛を被《かぶ》って一人で帰って来た。橋本君は柳の家へ寄ったと云う。

少時《しばらく》して、自分は長靴をはいて又自家を出た。もう日暮だった。サラサラと全《まる》で水気のない粉雪が盛んに降っている。帰って来たときからは又大分積っていた。

柳の書斎にはK君の他《ほか》にリーチと橋本君とが居た。薄暗い中に石油ストォヴの火が雲母《きらら》を通してその向いた方だけを赤々と照していた。

この間柳が置いて行った、武者《むしゃ》の「或る青年の夢」の英訳の一部分を自分は持って来て返した。それの発表の仕方に就て話す。柳は全体訳せた時に単行本で出すのが一番いいだろうと云う。リーチは出来た部分から一般的な雑誌で広く紹介するのが訳者の希望らしいと云った。結局武者と訳者のS氏にもっとよく相談する事にする。

リーチは三カ月ほどすると一家を挙げて英国へ帰る筈である。その前にもう一度「やき物」の展覧会をする為《ため》に、今まで並べた店は狭すぎるので今度は三越にしようと思うが、と云うような相談を柳にかけていた。

「どうですか。君はどう思うか」とリーチ云う。

「他にいい所がなければ仕方がないな」と柳は答えた。

「うん」

「だけど、部屋の取り具合や、品物のアレンジメントは総《すべ》て君がやんなきゃあ、駄目だな」

「そうです！　それでなければ私もいやです」

リーチは帰るとなると、尚《なお》知って置きたいことが色々あるらしかった。

柳は京城の李王家博物館をとにかく見て行くよう、切《しき》りに勧めていた。

「それは大変に見たい。それから朝鮮の景色も見たいです。朝鮮では色々のものが見たいです」

自分の本の見返しに使う紙を柳がわざわざ朝鮮に頼んでくれた話から、今度橋本君がお父さんの素画集を出すに就て、日本の色々な生紙《きがみ》の見本を集めた話が出ると、エッチングの為にそれらを見たいとリーチが云った。橋本君は早速送る約束をしていた。「私の事ばかりでお気の毒です」他の人にこう云って、リーチは尚出発後に残す「やき物」の処置に就て柳に考をきいていた。柳はリーチが心配ないよう、それらを引き受けていた。

「然《しか》し、それは君にとって大変面倒な事です」

「いいよ。何でもないよ。何でもないよ」

「……それはありがとう」

少時《しばらく》して、食事の支度が出来て皆母屋《みんなおもや》の方へ行った。

そして食事が済むと直ぐ、汽車の時間になったのでリーチは帰って行った。

食後、座敷の大きな火鉢にかんかん火を熾《おこ》してK子さんや小さい連中《れんじゆう》も一緒に、その周囲《まわり》に車座になって気楽な話をした。間もなく下の玄坊《もと》が先ず《ま》沈没した。それから暫くして上の理《み》っちゃんも柳の膝《ひざ》で眠って了《しま》った。

橋本君の原稿にある「英国人フェノロサ」は少しく疑わしいと云う話から、

「伊太利亜《イタリア》臭い名じゃないか」と云うと、

「たしか、スイスの人だと覚えているがな」と柳が云った。

「藤岡さんの絵画史には、たしか英国人とあったように思いますけど」と橋本君は云う。

「いや、そんな事はない。調べれば直ぐ解《わか》る」こういって柳は橋本君の出して来た、東洋美術に関するフェノロサの遺稿についている細君の書いた小伝を調べ出した。

　藤岡さんの本を調べていた橋本君が、

「ありました。米国、ボストンの人、フェノロサ……」こういうと柳は、

「いや、それはうそだ。スペインだ……」人差指で字を追いながら急いで読みつつ云った。「確にそうだ。スペイン人だ」

　皆は笑った。橋本君の原稿が少し短過ぎるようだという話のあった時なので、

「それを皆書くといい。余は英国人と思い、柳氏はスイス人と思い、藤岡作太郎氏は米国ボストンの人と思う、という風に……」こんな事をいって笑った。

　九時半頃帰る事にする。帰る時物尺《ものさし》を雪に立てて見たら、七寸五分あった。珍しく軽い雪だ。そして上等の焼塩のように少しも水気がなくサラサラしている。富山県の

或鉱山に居た男の話に、二丈位積んだ雪の中に風が吹込むと、それが中で荒れ廻って埋《うず》まっている家《いえ》を雪の中で吹倒して行く事があると云う。こう云う雪なら、それもありそうな気がした。

表から広い方の坂路へ出て帰る。活動写真の雪のようだと云ってK君は興がった。自分もK君もゴムの長靴をはいていたが、橋本君は足駄《あしだ》だったので、とうとう足袋裸足《はだし》になる。

自家《うち》のそばまでくると橋本君は先へ駈《か》けだして行った。そして自分達が帰って見ると先へ行った橋本君が未《ま》だ帰っていない。K君が大きい声で呼んだ。間もなく帰って来た。自家の前が知れずに通り過ぎて了ったのだと云う。

留女子は橋本君と約束のお土産の絵本を待って未だ起きていた。

橋本君はお父さんの素画集の一部の見本刷りを持って帰った。墨絵、鉛筆画、夫々《それぞれ》の感じが非常によく出ていた。印刷も進んだものだと思う。殊《こと》に橋本君のは原画を渡して置いて、一枚一枚刷っては引き較《くら》べさしていると云う。刷る方にはこれは却《かえ》って苦しいのだそうだ。一枚一枚に絶えずデリケートな注意を要するから。

橋本君は別に法隆寺大鏡《おおかがみ》の金堂《こんどう》壁画の部を持って帰った。これは又云うまでもなく、驚くべきものだ。本統に立派なものは見る度毎《ごと》にその立派さを増して行く。

交《かわ》る交《がわ》る湯に入る。自分達は尚暫く話した。明日《あした》布施《ふせ》の弁天へ遠足する事にする。十二時頃橋本君とFさんは上の家《うち》へ帰って行った。それからもK君と二人丈で又暫く話していた。

K君が寝床へいってから、自分は毎日決めている仕事に掛った。時々窓をあけて見る。雪は止《や》んだ。星が出ている。ランプの光で見ると、前の梅の枝に積った雪が非常に美しかった。

焚<small>たき</small>

火<small>び</small>

その日は朝から雨だった。午《ひる》からずっと二階の自分の部屋で妻も一緒に、画家のSさん、宿の主《あるじ》のKさん達とトランプをして遊んでいた。部屋の中には煙草《たばこ》の煙が籠《こも》って、皆《みんな》も少し疲れて来た。トランプにも厭《あ》きたし、菓子も食い過ぎた。三時頃だ。一人が起《た》って窓の障子を開けると、雨は何時《いつ》かあがって、新緑の香《かおり》を含んだ気持のいい山の冷々した空気が流れ込んで来た。煙草の煙が立ち迷っている。皆は生き返ったように互に顔を見交した。

浮腰で、ずぼんのポケットに深く両手を差し込んでモジモジしていた主のKさんが、「私、一寸《ちよつと》小屋の方をやって来ます」と云った。

「僕も描きに行こうかな」と画家のSさんも云って、二人で出て行った。

出窓に腰かけて、段々白い雲の薄れて行く、そして青磁色の空の拡《ひろ》がるのを眺めていると、絵具函《えのぐばこ》を肩にかけたSさんと、腰位までの外套《がいとう》を只羽織ったKさんとが何か話しながら小屋の方へ登って行くのが見えた。二人は小屋の前で少時《しばらく》立話をして、そしてSさんだけ森の中へ入って行った。

それから自分は横になって本を読んだ。そして本にも厭きた頃、側《そば》で針仕事をして

いた妻が、

「小屋にいらっしゃらない？」と云った。

小屋と云うのは近々《きんきん》に自分達が移り住む為《ため》に、若い主のKさんと年を取った炭焼きの春さんとで作ってくれる小さい掘立小屋の事である。

Kさんと春さんとは便所を作っていた。

「割に気持のいい物になりました」とKさんが云った。自分も手伝った。妻も時々手を出した。

半時間程すると、Sさんが前の年の湿った落葉を踏んで森の中から出て来た。

「これはよくなった。これだけ出っ張りが附くと家《いえ》の形がついた」と便所の出来栄を讃《ほ》めた。Kさんは、

「厄介物にされた便所が大変いい物になりましたよ」と嬉《うれ》しそうな顔をして云った。

小屋の事は一切Kさんに任せてある。Kさんは作る事に興味を持って、実用の方面ばかりでなく、家全体の形とか、材料の使い方にも色々苦心して、出来るだけ居心地のいい家《うち》にしようとしていた。

夜鷹《よたか》が堅い木を打ち合すような烈《はげ》しい響をたてて鳴き始めた。暗くなったので仕事を切り上げた。春さんは掌《てのひら》で雁首《がんくび》の煙草をつめ更《か》えながら、

「牛や馬が登って来たから、早く柵《さく》を拵《こさ》えないといけないね」と云った。

「そうですね。作りかけを食べられちゃあ、気が利《き》きませんからね」とKさんが答えた。家《うち》を食われると云うので笑った。この山には壁土になる泥がないので宿屋でも壁の所は総《すべ》て板張りにしてある。この小屋では其処《そこ》を炭俵と同じ質の大きいものを作らせて、それを二夕重にしてその間に蓆《むしろ》を入れた。

「牛や馬にはこの家は御馳走だからね」と春さんは笑いもせずに云った。皆は笑った。

山の上の夕暮は何時《いつ》も気持がよかった。殊《こと》に雨あがりの夕暮は格別だった。その上、働いてその日の仕事を眺めながら一服やっている時には、誰の胸にも淡く喜びが通い合って、皆快活な気分になった。

前の日も午後から晴れて、美しい夕暮になった。昨日《きのう》は鳥居峠《とりいとうげ》から黒檜《くろび》山の方へ大きな虹《にじ》が出て尚《なお》美しかった。皆は永い事、此処《ここ》で遊んだ。小屋は楢《なら》の林の中にあったから、皆《みんな》でその高い楢に木登りをして遊んだ。虹がよく見えるというと妻までが登りたがるので、Kさんと二人で三間程の所まで引張りあげた。

自分と妻とKさんとは一つ木に登った。Sさんはその隣の木に登って、SさんとKさんとは互に自身の方が高くなろうとして五六間の高さまで張り合って登って行った。

「まるで安楽椅子《いす》ですよ」Kさんは高い所の工合よく分れた枝の股《また》に仰向《あおむ》けに寝て、

巻煙草をふかしながら大波のようにその枝を揺《ゆす》ぶって見せたりした。

Kさんの二番目の児《こ》をおぶった「市や」と云う年の割に顔の大きい低能な男の児が夜食の知らせに来て、漸《ようや》く皆が木を降りた時には、妻が木の上から落した櫛《くし》が灯《あかり》なしでは探せない程、地面の上は暗くなっていた。

自分は前日のこの楽しみを想《おも》いながら、

「晩、舟に乗りませんか」と云った。皆賛成だった。

食事だけ別れ別れにして、四人は又下の大きい囲炉裡《いろり》に集った。Kさんは炉の大きい茶釜《ちゃがま》の湯で赤ん坊に飲ますコンデンスミルクをといていた。

Kさんは氷蔵《こおりぐら》から楢の厚い板を抱えて来た。四人は大きい樅《もみ》の木に被《おお》われた神社の暗い境内を抜けて行く。神楽《かぐら》堂の前を通る時、Kさんはお札を売る人に、「お湯にお入りなさい」と声をかけた。樅の太い幹と幹の間に湖水の面《めん》が銀色に光って見えた。

小舟は岸の砂地へ半分曳《ひ》き上げてあった。昼の雨で溜《たま》った水をKさんが掻《か》き出す間、三人は黒く濡《ぬ》れた砂の上に立っていた。

Kさんは抱えて来た厚い板を舟縁《ふなべり》のいい位置に渡して、「お乗り下さい」と云った。妻から先へ乗せた。小舟は押し出された。

静かな晩だ。西の空には未《ま》だ夕映えの名残りが僅《わずか》に残っていた。が、四方の山々は蠑螈《いもり》の背のように黒かった。

「Kさん、黒檜《くろび》が大変低く見えるね」とSさんが舳《へさき》から云った。

「夜は山は低く見えますよ」Kさんは艫《とも》に腰かけて短い櫂《かい》を静かに動かしながら答えた。

「焚火《たきび》をしてますわ」と妻がいった。小鳥島の裏へ入ろうとする向う岸にそれが見える。静かな水に映って二つに見えていた。

「今頃変ですね」とKさんが云った。「蕨取《わらびと》りが野宿をしているのかも知れませんよ。あすこに古い炭焼の竈《かま》がありますから、その中に寝ているのかも知れませんよ。行って見ましょうか」

Kさんは櫂に力を入れて舳の方向を変えた。舟は静かに水の上を滑った。Kさんは小鳥島から神社の方へ一人で泳いで来る時、湖水を渡っていた蛇と出会って驚いた話などをした。

焚火はKさんのいうように竈の焚口で燃えていた。Sさんは、

「本統にあの中に人が居るのかね、Kさん」と云った。

「きっと居ますよ。若《も》し居なければ消して置かないと悪いから、上りましょうか」

た。


「一寸上って見たいわ」と妻も云った。

岸へ来た。Sさんが縄を持って先へ飛び降りて、舟の舳を石と石との間へ曳き上げた。

Kさんは竈の前に踞《しゃが》んで頻《しき》りに中を覗《のぞ》いていた。

「寝ていますよ」

冷々としているので皆《みんな》にも焚火はよかった。

Sさんは落ちている小枝の先でおき火をかき出して煙草をつけた。

竈の中でゴソゴソ音がして、人の呻《うな》る声がした。

「然《しか》し、こうして寝ていたら温《あった》かいだろうね」とSさんがいった。

Kさんはその辺に落ち散っている枝を火に積み上げながら、

「仕舞に消えますからね。寝込んで了《しま》うと、明方は随分寒いでしょうよ」といった。

「こんな側《そば》で焚いても窒息しませんの？」

「中で焚かなければ大丈夫です。それより竈が余り古くなるとひとりでに崩れる事があるんですよ。殊に雨のあとは危いんですよ」

「可恐《こわ》いわ。Kさん教えてやるといいわ」

「本統に教えてやる方がいいね」とSさんも云った。

「わざわざ教えなくても」とKさんは笑い出した。「これだけ大きな声で話していればみんな聴えていますよ」

竈の中で又ゴソゴソと枯葉の音を立てた。皆は一緒に笑い出した。

「往《い》きましょうか」と妻は不安そうに云い出した。舟へ来ると、Sさんは先へ乗り込んで、「今度は僕が漕《こ》ごう」と云った。

小鳥島と岸の間は殊に静かだった。晴れた星の多い空を舟べりからそのまま下に見る事が出来た。

「こっちでも焚火をしましょうかね」とKさんが云った。

Sさんは癖になっているドナウ・ウェレンの口笛を吹きながら漕いでいた。

「オイKさん。どの辺へ着けるんだい？」とSさんが訊《き》いた。Kさんは振りかえって見て、

「丁度この見当でよう御座んすよ」と答えた。

それから、何という事なしに皆は暫《しば》く黙って了った。舟は静かに進んで行った。

「岸位までなら泳げるか？」と自分は妻に訊いてみた。

「どうですか。泳げるかも知れないわ」

「奥さん、泳げになるんですか？」Kさんは驚いたように云った。

「何時頃《いつ》から泳げるの？」と自分はKさんに訊いた。

「少し温《あった》かい日なら今でも泳げますよ。去年今頃泳ぎましたよ」

「少し寒そうだ」自分は手を水へ浸して見て云った。「然し先《せん》に紅葉見に行って、朝早く蘆《あし》の湖《こ》で泳いだ事があるけれど、思った程ではなかった。それよりも、四月初めに蘆の湖で泳いだ事がある」

「昔はお偉かったのね」と妻は寒がりの自分を冷やかした。

「この辺《へん》でいいかい？」

「ええ。どうぞ」

Sさんは三擢四擢力を入れて漕いだ。舟の舳はザリザリと音をさせて砂地へ着いた。皆《みんな》は砂へ降り立った。

「こんなに濡れていても焚火が出来ますの？」

「白樺《しらかば》の皮で燃《も》しつりるんです。油があるので濡れていてもよく燃えるんですよ。私、焚木を集めますから、白樺の皮を沢山お集め下さい」

一面に羊歯《しだ》や山蕗《やまぶき》や八ツ手の葉のような草の生い繁《しげ》った暗い森の中に入って焚火の材料を集めた。

皆は別れ別れになったが、KさんやSさんの巻煙草の先が吸う度に赤く見えるのでその居る所が知れた。

白樺の古い皮が切れて、その端を外側に反《そ》らしている、それを手頼《たより》に剝《は》ぐのだ。時々Kさんの枯枝を折る音が静かな森の中に響いた。

持てないだけになると、岸の砂地へ運んだ。もう大分《だいぶん》溜った。

何かに驚いて、Kさんがいきなり森から飛出して来た。

「どうしたんだ」

「居ましたよ。虫ですよ。あの尻《しり》の光っている奴が、こうやって尻を振っていたんですよ。堪《たま》ったもんじゃあない」Kさんは尺取り虫の類《るい》を非常に可恐《こわ》がった。息を跳反《はず》ませている。

それを見に入った。先に立ったSさんが、

「この辺かい？」と後《うしろ》の方に居るKさんを顧みた。

「其処に光ってるじゃあ、ありませんか」

「成程、これだね」Sさんはマッチを擦って見た。一寸《すん》程の裸虫がその割に大きい尻をもたげてゆるゆると振っていた。

その先が青くぼんやり光って見える。

「これが、そんなに可恐《こわ》いかね」とSさんが云った。

「これからは其奴《そいつ》が居るんで、うっかり歩けませんよ」とKさんは云う。そして、「もう大概よう御座んすから、焚きましょうか」と云った。

皆は又砂地へ出た。

白樺の皮へ火をつけると濡れたまま、カンテラの油煙《ゆえん》のような真黒な煙を立てて、ボウボウ燃えた。Kさんは小枝から段々大きい枝をくべて忽《たちま》ち燃《も》しつけて了った。その辺が急に明るくなった。それが前の小鳥島の森にまで映った。

Kさんは舟から楢の厚板を持って来て、自分達の腰を下ろす所を作ってくれた。

「虫だけは山に育った人のようじゃあ、ないね」とSさんが云った。

「本統ですよ」とKさんも云った。「初めから知っていると、それ程でもないんですが、不意だと随分魂消《たまげ》ますよ」

「山には別に可恐いものって、居ませんの？」

「何にも居ませんよ」

「大蛇なんて居ないの？」

「居ませんよ」

「蝮《まむし》は？」と自分が訊いた。

「箕輪《みのわ》辺《へん》まで下りると時々見かけますが、上では蝮は一度も見た事はありませんよ」

「昔は山犬が居たんだろう」とSさんが云った。

「子供の頃よく声だけ聴きました。夜中に遠吠えを聴くと、淋しい、いやな気持がしたのを覚えていますよ」

Kさんは Kさんの亡《な》くなったお父さんが夜釣が好きで、或夜山犬に囲まれて、岸伝いに水の中を帰って来た話とか、この山が牧場になった年、馬が食われて半分位になっているのを見た話などをした。

「その年、肉にダイナマイトを入れて、殺したら、一週間で絶えて了いました」

自分は四五日前、地獄谷の方で小さい野獣の髑髏《どくろ》を見た話をすると、Kさんは、

「きっと笹熊でしょう。鷲《わし》かなんかに食われたのかも知れませんよ。笹熊は弱い獣《けもの》ですからね」と云った。

「じゃあ、この山には何にも可恐いものは居ないのね」と臆病《おくびょう》な妻はKさんに念を押した。するとKさんは、

「奥さん。私大入道を見た事がありますよ」と云って笑い出した。

「知ってますよ」と妻も得意そうに云った。「霧に自分の影が映るんでしょう?」妻はそれを朝早く、鳥居峠に雲海を見に行った時に経験した。

「いいえ、あれじゃあ、ないんです」

子供の頃、前橋へ行った夜の帰り、小暮《こぐれ》から二里程来た大きい松林の中でそう云うものを見た、と云う話だ。一町位先でぼんやりその辺が明るくなると、その中に一丈以上の大きな黒いものが立ったと云う。然し、暫くして、大きな荷を背負った人が路傍に休んでいたので、その人が歩きながら煙草《たばこ》を飲む為《ため》に荷の向うで時々マッチを擦ったのだと云う事が知れたと云う話である。

「不思議なんて大概そんなものだね」とSさんが云った。

「でも不思議はやっぱりあるように思いますわ」と妻は云った。「そう云う不思議はどうか知らないけど、夢のお告げとかそう云う事はあるように思いますわ」

「それは又別ですね」とSさんも云った。そして急に憶《おも》い出したように、「そら、Kさん、去年君が雪で困った時の話なんか、そう云う不思議だね。未だ聴きませんか?」と自分の方を顧みた。

「いいえ」

「あれは本統に変でしたね」とKさんも云った。こう云う話だ。

去年、山にはもう雪が二三尺も積った頃、東京に居る姉さんの病気が悪いと云う知らせでKさんは急に山を下って行った。

然し姉さんの病気は思った程ではなかった。三晩泊って帰って来たが、水沼に着いたのが三時頃で、山へは翌日登る心算《つもり》だったが、僅《わずか》三里を一ト晩泊って行く気もしなくなって、Kさんは予定を変えて、然し若し登れそうもなければ山の下まで行って泊めて貰《もら》うつもりで、水沼を出た。

そして丁度日暮に二の鳥居の近くまで来て了ったが、身体《からだ》も気持も余りに平気だった。それに月もある。Kさんは登る事に決めた。然しそれから登るに従って、雪は段々深くなった。Kさんが山を下りた時とは倍位になっていた。それでも人通りのある所なら、深いなりに表面が固まるから、左程困難はないが、全《まる》で人通りがないので軟かい雪に腰位まで入る。その上、一面の雪で何処《どこ》が路《みち》かよく知れないから、幾ら子供から山に育って慣れ切ったKさんでも、段々にまいって来た。

月明りに鳥居峠は直ぐ上に見えている。夏はこの辺はこんもりとした森だが、冬で葉がないから上が直ぐ近くに見えている。その上、雪も距離を近く見せた。今更引き返す気もしないので、蟻《あり》の這《は》うように登って行くが、手の届きそうな距離が実に容易でなかった。若し引き返すとしても、幸い通った跡を間違わず行ければまだいいとして、それを外《そ》れたら困難は同じ事だ。上を見ると、何しろ其処《そこ》だ。

Kさんは、もう一ト息、もう一ト息と登った。別に恐怖も不安も感じなかった。然し何だか気持が少しぼんやりして来た事は感じた。

「後で考えると、本統は危なかったんですよ。雪で死ぬ人は大概そうなってそのまま眠って了うんです。眠ったまま、死んで了うんです」

よくそれを知りながら、不思議にKさんはその時少しもそう云う不安に襲われなかった。そして、ともかく、気持を張った。何しろ身体がいい。それに雪には慣れていた。到頭それから二時間余りかかって、漸《ようや》く峠の上まで漕ぎつけた。

雪の深さは一層増さった。然しこれからは一寸《ちよつと》、下りになる。下ればずっと平地だ。時計を見ると、もう一時過ぎていた。

遠くの方に提灯《ちようちん》が一つ見えた。今時分、とKさんは不思議に思った。然しとにかく一人きりの所に人と会うのは擦れ違いにしろ嬉《うれ》しかった。Kさんは又元気を振い起して、下りて行った。そして、覚満淵《かくまんぶち》の辺でそれらの人々と出会った。それはUさんという、Kさんの義理の兄さんと、その頃Kさんの家《うち》に泊っていた氷切りの人夫三人とだった。「お帰りなさい。大変でしたろう?」とUさんが云った。

Kさんは「今時分何処へ行くんですか?」と訊いた。

「今、お母さんに起《つか》されて迎いに来たんですよ」とUさんは何の不思議もなさそうに答えた。Kさんは慄《ぞ》っとした。

「私がその日帰る事は知らしても何にもなかったんです。後で聴くと、お母さんがみ、いちゃん（Kさんの上の子供）を抱いて寝ていると、――別に眠っていたようでもないんですが、不意にUさんを起して、Kが帰って来たから迎いに行って下さいと云ったんだそうです。Kが呼んでいるからって云うんだそうです。あんまり明瞭《はっきり》しているんで、Uさんも不思議とも思わず、人夫を起して支度させて出て来たと云うんですが、よく聴いて見ると、それが丁度私が一番弱って、気持が少しぼんやりして来た時なんです。山では早く寝ますからね、七時か八時に寝て、丁度皆《みんな》ぐっすりと寝込んだ時なんです。それを四人も起して、出して寄越すんですから、お母さんのは余程明瞭聴いたに違いないのです」

「Kさんは呼んだの？」と妻が訊いた。

「いいえ。峠の向うじゃあ、幾ら呼んだって聴えませんもの」

「そうね」と妻は云った。妻は涙ぐんでいた。

「そんな気がした位では却々《なかなか》、夜中に皆を起して、腰の上まで埋《う》まる雪の中を出してやれるものではないんです。それは巻脚絆《まききゃはん》の巻き方が一つ悪くても、一度解けたら、凍って棒になって了いますから、とても、もう巻けないんです。だから支度が随分厄介なんです。支度にどうしても二十分やそこらかかるんですよ。その間お母さんは、ちっとも疑わずにおむすびを作ったり、火を焚《た》きつけたりしていたんです」

Kさんとお母さんの関係を知っているとこの話は一層感じが深かった。よくは知らないが、似ているので皆がイブセンと呼んでいたKさんの亡《つか》くなったお父さんは別に悪い人ではないらしかったが、少くとも良人《おっと》としては余りよくなかった。平常《ふだん》は前橋辺に若い妾《めかけ》と住んでいて、夏になるとそれを連れて山へ来て、山での収入を取上げて行ったそうだ。Kさんはお父さんのそういうやり方に心から不快を感じて、よく衝突をしたという事だ。そしてこんな事がKさんを一層お母さん想《おも》いにし、お母さんを一層Kさん想いにさせたのだ。

先刻《さっき》から、小鳥島で梟《ふくろう》が鳴いていた。「五郎助」と云って、暫《しばら》く間《あいだ》を措《お》いて、「奉公」と鳴く。

焚火も下火になった。Kさんは懐中時計を出して見た。

「何時？」

「十一時過ぎましたよ」

「もう帰りましょうか」と妻が云った。

Kさんは勢よく燃え残りの薪《たきぎ》を湖水へ遠く抛《ほう》った。薪は赤い火の粉を散らしながら飛んで行った。それが、水に映って、水の中でも赤い火の粉を散らした薪が飛んで行く。上と下と、同じ弧を描《えが》いて水面で結びつくと同時に、ジュッと消えて了う。そしてあたりが暗くなる。それが面白かった。皆で抛った。Kさんが後に残ったおき火を櫂《かい》で上手に水を撥《は》ねかして消して了った。

舟に乗った。蕨取りの焚火はもう消えかかっていた。舟は小鳥島を廻って、神社の森の方へ静かに滑って行った。梟の声が段々遠くなった。

真_{まな}

鶴_{づる}

伊豆半島の年の暮だ。日が入って風物総《すべ》てが青味を帯びて見られる頃だった。十二三になる男の児《こ》が小さい弟の手を引き、物思わし気な顔付をして、深い海を見下《みお》ろす海岸の高い道を歩いていた。弟は疲れ切っていた。子供ながらに不機嫌な皺《しわ》を眉間《みけん》に作って、さも厭々《いやいや》に歩みを運んでいた。然《しか》し兄の方は独り物思いに沈んでいる。彼は恋と云う言葉を知らなかったが、今、その恋に思い悩んでいるのであった。

こんな事があった。或時、彼の通《かよ》っている小学校の教員が、新しく来た若い女教員と連れ立って行く後《うしろ》から彼は何気なく従《つ》いて行った。その時不意に教員が、「オイ」と云って彼へ振返った。「我恋は千尋《ちひろ》の海の捨小舟《すてをぶね》、寄る辺なしとて波の間に間に。お前にこの歌の意味が解《わか》るかね」とこう云った。こう云って教員は笑いながら女教員の顔を横から覗《のぞ》き込んだ。女教員は俯向《うつむ》くと、黙って耳の根を赤くしていた。

彼も変に恥かしくなった。自分がそれを云われたような、又それを自分が云ったような気が一寸《ちょっと》した。

「どうだね。解るかね」と再び云われると彼も女教員のしたように黙って俯向いて了《しま》った。そして、沖の広々した所に小舟《こぶね》のゆらりゆらり揺られている様を、何と云う事なし絵のように想《おも》い浮べていた。恋と云う言葉を知らぬ彼には素《もと》より歌の意味は解らなかった。

真鶴《まなづる》の漁師の子で、彼は色の黒い、頭の大きい子供であった。

そして彼は今、その大きい頭に凡《およ》そ不釣合な小さい水兵帽を兜巾《ときん》のように戴《いただ》いているのだ。咽《のど》はそのゴム紐《ひも》で〆上《しめあ》げられていた。この様子は恋に思い悩んでいる者としては如何《いか》にも不調和で可笑《おか》しかった。然し彼にとっては不調和でも、可笑しくても、又滑稽《こっけい》でも、この水兵帽はそう軽々しく考えられるべき物ではなかったのである。

その日彼は父から歳暮の金を貰《もら》うと、小田原まで、弟と二人の下駄を買う為《ため》に出掛けた。ところが下駄屋へ来るまでに彼は不図、或唐物屋《とうぶつや》のショーウインドウでその小さい水兵帽を見つけた。彼は急にそれが欲しくなった。其処《そこ》で後先の考もなく、彼は彼の財布をはたいて了ったのである。

彼の叔父に、元根府川《ねぶかわ》の石切人足で、今、海軍の兵曹長になっている男がある。それから彼はよく海軍の話を聴いた。そして、自分も大きくなったら水兵になろうと決心していた。

「どうだ、このボイラーの小せえ事、恰《まる》でへっついだな」とこんな風に、或時叔父が煙突の上に丸いオーヴンでも乗せたような熱海行きの軌道機関車を笑った事があった。

これ以外に汽車を知らぬ彼にはこの言葉だけでも叔父を尊敬するに充分だった。そして彼は彼の水兵熱を益々《ますます》高めて行ったのである。

それ故《ゆえ》水兵帽を手に入れた事は彼にとってこの上ない喜びであった。が、同時に彼は後悔もしていた。折角下駄を楽しみに従いて来た弟が可哀想《かわいそう》だった。二人が貰った金で自分だけの物を買った事を短気な父がどんなに怒る事かと考えるとさすがに気が沈んで来た。

然し松飾りの出来た賑《にぎや》かな町を歩いている内に彼は何時《いつ》かそんな事を忘れて、そして前から聞かされていた二宮尊徳の社《やしろ》へ詣《もう》でるつもりで、その方へ歩いて行くと、或町角で、騒々しく流して来た法界節《ほうかいぶし》の一行に出会った。

一行は三人だった。四十位の眼の悪い男が琴をならしている。それからその女房らしい女が顔から手から真白に塗り立てて、変に甲高い声を張り上げ張り上げ月琴《げっきん》を弾いていた。もう一人は彼と同年《おないどし》位の女の児で、これも貧相な顔に所斑《ところまだ》らな厚化粧をして、小さい拍子木を打ち鳴らしながら、泣き叫ぶように唄っていた。

彼はその月琴を弾いている女に魅せられて了った。女は後鉢巻《うしろはちまき》の為《ため》に釣り上っている眼を一層釣り上がらすように眼尻《めじり》と眼頭とに紅をさしていた。そして、薄よごれた白縮緬《ちりめん》の男帯を背中で房々と襷《たすき》に結んでいた。彼は嘗《かつ》てこれ程美しい、これ程に色の白い女を知らなかった。彼はすっかり有頂天になって了った。それから彼は一行の行く所へ何処《どこ》までも従いて行った。

一行が或裏町の飯屋に入った時には彼は忠実な尨犬《むくいぬ》のように弟の手を引いてその店先に立っていた。

――沖へ沖へ低く延びている三浦半島が遠く薄暮の中に光った水平線から宙へ浮んで見られた。そして影になっている近くは却《かえ》って暗く、岸から五六間綱を延ばした一艘《そう》の漁船が穏かなうねりに揺られながら舳《へさき》に赤々と火を焚《た》いていた。岸を洗う静かな波音が下の方から聴えて来る。それが彼には先刻《さっき》から法界節の琴や月琴の音《ね》に聞えて仕方なかった。波の音《おと》と聞こうと思えば一寸の間それは波の音になる。が、丁度睡《ねむ》い時に覚めていようとしながら、不知《いつか》夢へ引き込まれて行くように波の音は直ぐ又琴や月琴の音《おと》に変って行った。彼は又その奥にありありと女の肉声を聴いた。何々して「梅―の―は―な」こう云う文句までが聴き取られるのだ。

「奴《やっこ》さんだよう」こんな事をいって下で両手の指先を合せ、中腰で両膝《りょうひざ》を開き首を振りながら、二三度足を前へ挙げた形とか、捨児の剣舞で真白く塗った腕をあげて泣く様子、所はげな人形にする頰ずり、それを思い浮べると彼の胸は変に悩ましくなった。

遥《はる》か小田原の岸が夕靄《ゆりもや》の中に見返られる。彼は今更に女と自分との隔りを感じた。

今頃はどうしている事か。

彼にはあの泣き叫ぶような声を張り上げていた少女の身の上がこの上なく羨《うらや》ましく思われた。然し彼はその少女にいい感じを持たなかった。彼が飯屋の前に立ち尽していた時に少女は時々悪意を含んだ嶮《けわ》しい眼つきを彼の方へ向けていたが、仕舞に男と代る代る酌をしていた女に何か此方《こっち》を見い見い告口をした。彼はヒヤリとした。然し女は何の興味もなさそうに一寸此方を見て、直ぐ又男と話し続けたので、彼はほっとした。

夜が迫って来た。沖には漁火《いさりび》が点々と見え始めた。高く掛っていた半かけの白っぽい月が何時か光を増して来た。が、真鶴までは未《ま》だ一里あった。丁度熱海行きの小さい軌道列車が大粒な火の粉を散らしながら、息せき彼等を追い抜いて行った。二台連結した客車の窓からさす鈍いランプの光がチラチラと二人の横顔を照して行った。

少時《しばらく》すると、手を引かれながら一足遅れに歩いていた弟が、

「今日の法界節が乗っていた」とこんな事を云った。彼は自分の胸の動悸《どうき》を聞いた。そして自分もそれをチラリと見たような気がした。汽車は何時か先の出鼻を廻って、今は響きも聴えて来なかった。

彼は今更に弟の疲れ切った様子に気がついた。急に可哀想になった。そして、

「くたびれたか」と訊《き》いてみたが、弟は返事をしなかった。彼は又、「おぶってやるかネ?」と優しく云った。弟は返事をする代りに顔を反向《そむ》けて遠く沖の方へ眼をやって了った。弟は何か口を利《き》けば今にも泣き出しそうな気がしたのである。優しく云われると、尚《なお》であった。

「さあ、おんぶしな」彼はこういって手を離し、弟の前に蹲《しゃが》んだ。弟は無言のまま倒れるようにおぶさった。そして泣き出しそうなのを我慢しながら、兄の項《うなじ》に片頬を押し当てると眼をつぶった。

「寒くないか?」

弟はかすかに首を振っていた。

彼は又女の事を考え始めた。今の汽車に乗っていたのかと思うと彼の空想は生々して来た。この先の出鼻の曲り角で汽車が脱線する。そして崖《がけ》から転げ落ちて、女が下の岩角に頭を打ちつけて倒れている有様を彼はまざまざと想い浮べた。彼は又、不意に道傍《みちばた》からその女の立ち上って来る事を繰り返し繰り返し想像した。彼は実際に女が何処かで自分を待っていそうな気がしていた。

弟は何時か背中で眠って了った。急に重くなった弟の身体《からだ》を彼は揺り上げ揺り上げして歩いた。段々に苦しくなる。腕が抜けそうになるのを彼は我慢して歩いた。彼はこれを我慢し通さなければ駄目だと云う気がした。何が駄目なのか自分でも明瞭《はっきり》しなかった。然しとにかく彼は首を亀の子のように延ばして、エンサエンサと云う気持で歩いて行った。

やがて、その出鼻へ来たが、其処には何事も起っていなかった。そして、それを曲ると彼は突然直ぐ間近に、提灯《ちょうちん》をつけて来る或女の姿を見た。彼ははっとした。同時にその女から声をかけられた。それは余りに彼等の帰りの遅いのを心配して、迎いに来た母親であった。

すっかり寝込んで了った弟を、彼の背から母親の背へ移そうとすると、弟は眼を覚した。そして、それが母親だと知ると、今まで圧《おさ》え圧えて来た我儘《わがまま》を一時に爆発さして、何かわけの解らぬ事を云って暴れ出した。母親が叱《しか》ると尚暴れた。二人は持て余した。彼は不図憶《おも》い出して、自分のかぶっていた水兵帽を取って弟にかぶせてやった。

「ええ、穏順《おとな》しくしろな。これをお前にくれてやるから」こう云った。

今はその水兵帽を彼はそれ程に惜《おし》く思わなかった。

雨蛙《あまがえる》

長与《ながよ》善郎《よしろう》兄に捧《ささ》ぐ

A市から北へ三里、Hと云う小さな町がある。道に添うた細長い町で、生垣が多く、店家《みせや》は少かった。住民は大方土着の旧家で、分家々々と分れて殖えた為《ため》に百戸余りの家が大体五つか六つの姓に含まれた。土地の人々は、道角《みちかど》の誰、藪前《やぶまえ》の誰、或いは棒屋の誰という風に呼び慣わし、その藪が十年前に伐《き》り開かれた今も、某《なにがし》が親の代に棒屋をよしていても、依然そのままに呼んで、他の同姓から区別した。

町には昔から一つの組合があり、それで互に助け合った。誰がそういうものを作ったか今は知らぬ人の方が多かった。町を縦に貫く道は県道よりも立派だった。左右へ入る小路《こみち》は冬の霜解《しもどけ》、雨期の泥濘《でいねい》は仕方ないとして、人の歩くだけは一ト筋に平石が敷いてあった。

例えば或家《いえ》が焼け失《う》せる。そういう時それが元のように建てられる為には恐らく普通の半分の費用も要らなかった。用材は共有の山林から只得る事が出来たし、労力も一軒から何人として寄附される事になっていた。

然《しか》し、こういう町からも或時、町だけの生活に満足出来ない者が出る。その者は都会へ出る。仕事をする。失敗する。再び帰って来る。それでも、町の人々はその家を潰《つぶ》さぬだけの助力を惜しまなかった。組合の同意を得れば低利資金を借り出す事さえ出来た。そういう町であった。

町の中程に土蔵作りで美濃屋《みのや》という造り酒屋がある。若い主《あるじ》の賛次郎《さんじろう》は一人児《ひとりつこ》で中学時代には父の意嚮《いこう》で農科大学を卒業し、家業を襲《つ》ぐ筈《はず》だったが、五六年前《ぜん》その父に死なれ、急に一家の若い主になった。岡蔵《おかぞう》という祖父の代からの番頭が居、家業に差支《さしつか》えはなかったが、家《いえ》に主がいなければと云う祖母の考で彼は市の寄宿舎から呼び返され、そのまま家に居ついたのである。然し彼はこの事に不服はなかった。自分が農学士になったからとて、もっとうまい酒を土地の人々に呑《の》ます事が出来るとも思わなかったし、学士になって偉そうな顔をするなど云われないだけでも気安い事だ、とこんなに彼は考える方だった。

賛次郎の親しい友に竹野茂雄というのがある。中学を卒業すると東京の私立大学の文科に入り、詩や歌を作り、青葉《せいよう》という号で、文学雑誌に投書などしていた。彼は文壇の消息通で、よくそういう話を賛次郎に聴かした。

然し賛次郎の方は詩や歌を作ろうとは思わなかった。出来ないと思っていたし、興味もなかった。そして本も余り読まなかった。従って竹野のそういう話も身を入れて聴いてはいなかったが、町へ帰り、その生活を幾らか単調に感じ出すと、いつか竹野の影響が彼に現れ始めた。彼は市へ出る度、何かそういう読物を買って帰るようになった。

竹野は投書仲間の女と最初は文通に始り、間もなく話は結婚まで進んだ。女は東京の水菓子屋の娘で美しいという方ではなかったが、若いにしては心のしっかりした女だった。

竹野は三男で結婚には至極自由な身であると気楽に考えていると、案外にも年の大分違った長兄がそれに反対した。長兄には文学をやる女という事が先《ま》ず気に入らなかった。両親は隠居し、総《すべ》て長兄任せになっていたから、その不同意は家全体の不同意も同様だった。竹野は腹を立て、家と絶縁し、A市で女と水菓子屋を開き、それで自活する事にした。

同じ頃、美濃屋の賛次郎も結婚した。遠縁の農家の娘で彼は前から好きだったところに祖母から云い出され、一も二もなく承知したのである。

せきと云う名だった。無口で余りはきはきしない、学問のない、然し誠に美しい田舎娘だった。背丈《せたけ》のない事を当人は苦にしていたが、四肢の均等した発育が、それを少しも醜く見せなかった。首から上の小さい、髪の毛の豊かな――髪は少し赤かったが――皮膚の滑かな、鼻の形の正しい、そして全体に如何《いか》にもクリクリと肉附に弾力のある事が見るから健康そうな感じで、何人《なんびと》にも一種の快感を与えた。一つ当人の知らない欠点を云えば茶色の勝ったその眼に光がなかった事だ。

間もなくせきは妊娠した。その五月目《いつつき》、丁度秋の末、流感がはやり、彼女はそれに罹《かか》った。妊娠の流感で人々は気遣った。そして実際胎児は流産して了《しま》った。で、せきはそれなりに直ったが、せきの上を一番気遣った姑親《しゅうとめ》が最後に同じ病気に罹り、これは肺炎に進み遂《つい》に亡《な》くなった。

——その時から今に三年経《た》つ。せきはもう妊娠しなかった。そして気短な祖母はよくその事を口にし、賛次郎に苦い顔をさせたが、当のせきは却《かえ》って気にも留めなかった。

白鼠《しろねずみ》の岡蔵が中風に罹り、郷里へ帰ってからは賛次郎もいよいよ一本立ちで何事もやらねばならぬ身となった——筈である。ところで実際は気丈者の祖母が永い経験から、家事、商事、総てに采配《さいはい》を振っていてくれた。

賛次郎の文学趣味は少しずつ亢《こう》じて来た。彼は座敷に大きな本箱を据え、それに新刊書の溜《たま》って行くのを楽しんだ。そして近頃は自身でも短い文章を作り、竹野に見て貰《もら》ったりした。

彼はせきにもそう云う方面の教養を与えたいと思った。一人では何となく淋しかった。が、せきにそんな事は無理だった。賛次郎は以前の自身を憶《おも》い、察しられたから、落胆もしない代り、念い断《おもいき》りもしなかった。

或日竹野から葉書で、近日、市の公会堂で劇作家のSと小説家のGとが講演をする、その時は是非来るようにと知らせがあった。賛次郎はせきも連れて行きたかった。彼は返事にその事を云い、女連れ故《ゆえ》、一泊させて貰うかも知れぬと書いた。

やがてその日が来た。十月にしては晴れていながら、いやに生温かい風の吹く日だった。会は三時からで、早ひるで出掛ける事にし、その支度をしていると、手伝っていた祖母が如何《どう》した事か不意に横に倒れた。陽気が悪かった。大した事はないが、病人を雇人任せにしては出られなくなった。彼はせきに云った。

「お前はどうするか。竹野君が待っていると思うが、お前一人だけでも行く方がよくはないか。お前が行けば私も会の模様を聴く事が出来るし。そうしないか」

「へい」

「病人は私が居れば心配ない。案じず、ゆっくりして来なさい」

「へい」せきは無心の眼差《まなざ》しを向け、こう答えた。

間もなく待たせてあった俥《くるま》に乗り、出掛けて行った。賛次郎は店前《みせさき》に立ち、その後姿を見送った。今は田舎でも余り見かけなくなった廂髪《ひさしがみ》を揺られながら、生垣の続く、長い一本道をせきは一度も振り返らず、段々に遠ざかって行った。

祖母は幾らか熱があり、常より赤い顔をしていた。賛次郎はうつらうつらしている病人の枕元《まくらもと》で本を読みながら、時々額の手拭《てぬぐい》を絞り更《か》えた。

酒倉の前で職人達が大樽《おおだる》の箍《たが》を締めている。その乾いたような槌《つち》の響が風音《かざおと》と混り合って聞こえて来る。彼は合間々々にその方の見廻りをせねばならなかった。

今頃はどうしているだろう。彼は時々せきの上を思った。大勢の聴衆の中に呑まれ切っている妻の姿を想《おも》い浮べるとせきがそう云う場所に余りに不調和な人間だった事が今更に想われた。

その晩、彼は祖母と枕を並べ、早く床に就いた。祖母とは何年振りかで同じ部屋に寝ると思った。

夜に入り、風は静まったが、廂にぽつりぽつり雨の音がしはじめた。変に蒸々と寝苦しい晩だった。病人は少し熱が下ったらしく、すやすやとよく眠入《ねい》っていた。雨は段々烈《はげ》しくなった。

翌日彼の起きた時には空は綺麗《きれい》に晴れ、風は北に変り、秋らしく冷え冷えとした、気持のいい朝になっていた。彼より先に起き出た祖母は半白の髪をさっぱりと束ね、もう勝手元を働いていた。

「買物もあるし、迎いがてらAへ出ようと思うが、もうすっかり快《よ》くなりましたか」

「ああ、快くなった」

彼は食事を済ますと直ぐ自転車で市へ向う事にした。前日とは急に寒くなったので、彼はせきの為に肩掛けを風呂敷包みにし、自転車のハンドルに懸けて出た。

実際気持のいい朝だった。道には小砂利が洗い出され、木や草には水玉がキラキラ光っていた。薤畑《らつきようばたけ》の紫の花が黒い濡土《ぬれつち》と共に大変美しく見えた。遠い空で雁《がん》の淡い一列が動いている。彼はのびのびした楽しい心持で自転車を走らせて行った。

彼が水菓子屋の店前で自転車を降りた時、竹野は溝板《どぶいた》の上で遠くから届いたらしい林檎《りんご》の箱を開けていた。そして今まで俯向《うつむ》きに赤くなった顔をあげると当惑の色を浮べながら、前夜せきは迎雲館《げいうんかん》に泊り、今、此処《ここ》に居ない事を告げた。賛次郎は眼を丸くした。せきと迎雲館、この対照が最初彼には甚《ひど》く滑稽《こっけい》に映った。市一等の旅館で、自分達には足踏ならぬ場所のように考えていたからだ。然しそれも竹野の何か事ありげな気配で、彼は直ぐ不安にされた。

竹野は着ていた厚司《あつし》をその場へ脱ぎ捨てると、先に立って薄暗い階子《はしご》段《だん》から大井の低い店二階に彼を導いた。其処《そこ》で竹野は彼に精《くわ》しい事を話し出した。

前日講演会が済んだのは既に日暮だった。続いて市の新聞社主催の歓迎会が昔藩主の別邸だった清々園《せいせいえん》という料理茶屋で開かれ、竹野はその方に出たが、女連れはその昼、講演会場の楽屋で山崎芳江《よしえ》という土地の女子師範の音楽教師から講演者達に紹介され、その時の約束で、二人は芳江と宿の迎雲館でSやGの帰りを待っていた。

SとGとが、烈しい降りの中を自動車で送られ、帰って来たのは十時過ぎだった。二人は可成《かなり》酔っていたが、それでも女達の前では最初、割に謹み深く見えた。

Sは色の白い、眼の優しい柔かい髪が広い額を斜《なな》めに隠し、物云いも叮嚀《ていねい》に、声も小さく、動作まで何処《どこ》か女らしい感じを与える男だった。Gは反対に眼、鼻、頤《あご》、首、総てが強い線でがっしり描かれ、肩幅もあり全体巌丈《がんじょう》で、何となく力強い感じに溢《あふ》れていた。竹野の細君にはGのそういう感じが何となく恐ろしく思われた。

席には女の飲む甘い酒と果物とが運ばれ、――然し人々は余りそれに手を出さなかったが、只芳江だけがそれを重ね、一人はしゃいでいた。

芳江は男との関係ではよく噂《うわさ》に上り、Sとの関係もそれを知る者には寧《むし》ろ公然の秘密で、市での評判は余りよくなかったが、その豊かな肉体と声と派手な性質とでは、今はこの市になくてはならぬ女のよう若い連中《れんじゆう》からは思われている、そういう女だった。

皆《みんな》は気軽に話し合った。SやGの話は講演の時より面白かった。殊《こと》にGは自由に何でもいい、仕舞には女連れの前では憚《はば》かられるような事まで巧みにその露骨さを消して話した。

せきは呑まれ切って頰に空《うつ》ろな笑いを浮べながら、淋しい眼つきで人々の顔を見較べていた。竹野の細君はそういうせきが気の毒でもあり、それに雨も止《や》む様子がなかったから、そろそろ帰り支度にかかると、幾らか酔っていた芳江が切《しき》りに止めた。一人残る方がいい筈なのに、そう思う竹野の細君はそれを軽く受け流していたが、芳江は惰性的に段々執拗《しつこ》くそれを云い張った。心にもない我《が》を通す芳江だから関《かま》わず帰ろうとすると仕舞に芳江は本気に怒り出した。そして捨鉢に、

「そんなら私も一緒においとましてよ」そして泣き出しそうな顔で男達を流し眼に見ながら如何にも甘えた調子に、「ねえ、Gさん、私もおいとまするわ」

「そうかい」殊更無関心にGは答えた。「然し君にはSが何か用事があるんじゃないか」

「串戯《じょうだん》云っちゃいけないよ」Sはにやりとした。

「それじゃ、芳江さんの方から用事があるのか」

芳江はいきなり荒っぽく起《た》って行ってGの背中を二つばかり強く撲《う》った。Gは故意に平気な顔を見せていた。

竹野の細君は居堪《いたたま》らない気持になった。そしてびっくりしているせきを連れ、座敷を出ようとすると芳江は険しい眼つきで寄って来た。

「そんなら貴女《あなた》はもうお止めしないわ。けど、せき子さんだけはお止めしてよ。せき子さんは何処へ泊るのも同じだわね。そうでしょう?　この降りにわざわざお帰りになる事ないでしょう?」

「若《も》しおよろしければお泊りになりませんか」

Sも云った。

「へい」せきは微笑し、かすかに点頭《うなず》いた。

「お泊りになりますか?」

「どちらでも」

竹野の細君はびっくりした。そしてどういっていいか分らずにいる内、到頭力のある芳江の為に廊下へ押し出された。Sが起《た》って送って来た。その後から芳江は勝誇ったようにこんな事をいった。「いくら女だって、堅いばかりが能じゃないわ」

賛次郎には話の重さが分らなかった。何でもない事のようでもあり、何かしら非常に困った出来事のようでもあり、見当がつかなかった。只《ただ》、それを話す竹野の意気込が只事でなかった。

下に俥が止り、竹野は急いで降りていった。間もなく階下《した》から、竹野の何か細君に怒る声がして来た。

「えらい髪に結って来られたよ」苦り切って竹野は還《かえ》って来た。

「どんな髪だろう？」

「直ぐ結い直さすよ」

「いいじゃないか。僕もそれが見たいよ。せきのは余りに旧式だからね。少しは新式にならんといけないのだよ」賛次郎は殊更気軽に起って行った。薄暗い階子段の下にせきと竹野の細君とがぼんやり向い合って立っていた。

「どう、髪を見せなさい」賛次郎は店の明るい方にせきを連れ出した。それは耳隠しという髪で、頬に紅などをさした当世風が思いがけなくせきには甚《ひど》く似合っていた。

「よろしい。よろしい」賛次郎は恥かしそうに伏眼をしているせきの尖《とが》った小さい頤を指先に摘《つま》んで此方《こっち》へ向けた。実際彼はそれから少しも厭《いや》な感じを受けなかった。せきは指先から頤を外し、又俯向いた。

「疲れたような顔をしているね。直ぐ帰ろうか？」

せきは首肯《うなず》いた。

「講演は分ったか？」

せきは首を振った。

「そうか。それはいけなかったね。けれども山崎女史の唄があったそうだね。いい声だったろう？」

首肯いた。

「昨晩迎雲館では山崎女史と一緒だったか？」

首を振った。

「せき一人にされたのか？」

その時せきは横を向いたまま、意味の解《わか》らぬ微笑を浮べた。賛次郎はどきりとした。そして思わずせきの顔を見凝《みつ》めたが、せきは二タ側になった力のない眼差しでぼんやり遠く往来の方を見ていた。賛次郎はそれ以上訊《き》く気がしなかった。それは許されてない事のようでもあり、自分としても訊くのが恐ろしかった。訊けば直ぐ正直に答えるせきだけに恐ろしかった。

彼の心は甚く乱された。

直ぐ帰る事にし、彼は又階子段を昇って行った。上では竹野夫婦が何かひそひそ話し合っていた。彼の足音で細君は急いで起ち、段の上で、昇り切る彼を待って降りて行った。賛次郎は出来るだけ平静にと心掛けた。

倅の来る間、二人は向い合っていたが、話が全《まる》でなかった。賛次郎は火のない宣徳《せんとく》火鉢に窮屈な姿勢で両手を突き、自身の心の空虚と戦っていた。出窓の千本格子《ごうし》を透《すか》して向う側の競売屋《せりうりや》の二階が見えた。赤地に白くメリヤスとぬいた大きな旗が秋の軟い陽差しを受けてゆらりゆらり大きく揺れていた。

「そうだ。肩掛けを持って来た」賛次郎は不図ぼんやりこんな事を考えた。

「倅が参りました」階下《した》から細君の声がして竹野は降りて行った。賛次郎は何という事なし、忘れ物はないかしら、というような気持で部屋中を見廻し、それから、暗い急な階子段を用心しいしい降りて行った。

せきは店の葡萄《ぶどう》や林檎やバナナなどを並べた間に立っていた。竹野は懐手《ふところで》のまま、不機嫌な顔をして框《かまち》に突立っていた。賛次郎はその足元に屈《かが》んで靴を穿《は》いた。竹野の細君は函《はこ》の大鋸屑《おがくず》から林檎を幾つか取出し、荒い目籠《めかご》に入れて、それを車夫に渡した。

「その内、又来てくれたまえ」

「ありがとう」賛次郎は尻端折《しりはしより》をしながら、響のない声で答えた。

朝はそれ程でもなかったが、向いになると風は寒かった。せきは黙っている。話しかけても肩掛けに頰を埋めたまま、返事をしなかった。打ち砕かれた淋しい心、何をいってもそれに触れそうな恐ろしさで、凝《じ》っと、不機嫌に黙り込んでいる、そういうせきであろうと賛次郎は思った。耳隠し、頬紅などの当世風が先刻《さっき》はよく思ったが、陽なたの田舎道では醜く見えた。

彼も黙っていたかったが、年寄の車夫が彼を黙らして置かなかった。郵便の簡易保険は如何《どう》いうものだろうかとか、A市の郊外に工場が出来るので、田より畑《はた》の方が値がよくなったとか、賛次郎の町の某《なにがし》の息子が新潟の医専を出て、市の病院へ来るのか、それとも町で開業するのかとか、そういう話題が尽きなかった。賛次郎は車夫との話がつらくなった。彼はせきの疲れを気にしながら、「どうだろう。この辺から歩こうか」と云った。

県道から町へ分れる所に大きな榎《えのき》がある。前夜の雨に打たれた枯葉が一面に散り敷いている。其処でせきは俥を降りた。果物の籠を自転車に移し、それを曳《ひ》き、二人は肩を並べて歩いた。熟れ切った稲の香《か》が強く鼻へ来る。足元からうるさく稲子《いなご》が飛び立った。逃げまどった一疋《ぴき》がせきの肩に止り、暫《しばら》く二人の道連《みちづれ》になった。

せきは少しも口を利《き》かず、賛次郎のいるさえ意識しないように、ぼんやり遠い一点を見つめて歩いていた。その様子が賛次郎には何かせきが其処に或幻影を認め、それを見つめる事から気の遠くなるような陶酔を感じているのではないかしらという気が不図して来た。打ち砕かれた淋しさの不機嫌としては余りにその眼は何かを夢見ていた。如何《いか》にも甘い夢だ。それに酔う一種の喪心状態に思われた。賛次郎には変にはっきりとせきのその心持が映って来た。彼は思わず頬に血の昇るのを感じた。胸の動悸《どうき》を聴いた。力に溢れ切ったようなと云われるGと、この美しい肉附のせきと、この関係は実際不思議な力で彼の肉情を刺戟《しげき》して来た。彼にとって、この想像は最早他人の恋愛事件ではなかった。

「あのね」彼は息をはずませながら、優しい声で云い出した。「昨夜《ゆうべ》は一人でなく、誰か側《そば》に寝たか？」

「初めは芳江さんが寝ていました」

「それから？」

「何時《いつ》の間にか芳江さんが居なくなってGさんが入って来ました」

「それで？」

「GさんはSさんと芳江さんに追い出されて来たのだといいました」

「それで？」

「……」せきは急に下を向いた。

彼は不意にその場でせきを抱きすくめたいような気持になった。せきが堪らなく可《か》愛い。そして彼は危くその発作的な気持に惹き込まれかけたが、ガタンと音のするような感じで我に還ると、驚いてその不思議な気持から飛び退《の》いた。

「何と云う自分だろう」

彼はそれきりもう黙った。そして自分の気の静まるのを待った。然し彼の胸は淡いなりにせきをいとおしむ心で一杯だった。

暫くして、それは一方が田、一方が森になっている所で、賛次郎は電柱に自転車を持たせ、その道傍の草へ小用を足した。長い小用だった。その時彼は何気なく上を見ると、電柱の中程に何か青い物を認めた。何だろう？　そう思って直ぐ雨蛙《あまがえる》だという事に気附いたが、森の傍《そば》で何故《なぜ》こんな柱などに住んでいるのだろうと考えた。雨蛙はその電柱が未《ま》だ山で立ち木だった頃、其処から小さい枝が生えていた、その跡が朽ち腐れて今は臍《へそ》のような小さな凹《くぼ》みになっている、その中に二疋で重なり合うように蹲《うずくま》っていた。その様子が彼には如何にもなつかしく、又親しみのある心持で眺められた。その少し上に錆《さ》びた鉄棒の腕があり、蜘蛛《くも》の巣だらけの電球が道を見下していた。雨蛙はその灯に集る虫を捕る為、こんな所につつましやかな世帯を張っているのだ。これはきっと夫婦者だろう、そう思った。彼はせきに雨蛙を示したが、せきは何の興味も持たなかった。

間もなく二人は自分達の町へ帰って来た。それは昨日のままの静かな、つつましやかな町だった。いや、賛次郎には僅数時間《わずか》前に出たばかりの町だったが、それが如何にも久しく見ない所だったように彼には思われた。

その夕《ゆうべ》、賛次郎は四五冊の小説集と二冊の戯曲集とを本箱から抜き取ると、人知れず、裏山の窪地《くぼち》へ持ち出し、何か悪事をする者のような臆病《おくびょう》さで焼捨て、漸《ようや》くほっとした。

転生

一

或所に気の利《き》かない細君を持った一人の男があった。男は細君を愛してはいたが、その気が利かない事ではよく腹を立て、癇癪《かんしゃく》を起し、意地悪い叱言《こごと》を続け様にいって細君を困らした。その度《たび》、細君は自身のその性質を嘆き、愚痴を云った。

「貴方《あなた》は私のような気の利かない奥さんをお貰《もら》いになった事を心では後悔していらっしゃるでしょう？　きっとそうに違いない」

「うん。後悔している」

「本統に？」

「本統に。然《しか》し今更後悔しても追《おっ》つかないと諦《あきら》めているよ」

「私、それがいやなの。それがいやなのよ」と細君は泣く。

二

「女と云うものは全く度し難いけだものだ」

或日良人《おっと》は癇癪まぎれにこんな事を思った。

それから暫《しばら》くして幾らか機嫌が直ったところで、彼は又こんな事を思った。

「然し同じけだものを飼うなら、とにかくドメスティックなけだものの方が無難でいい。随分野獣を飼っている男もあるのだから。中には猛獣を飼っている人さえあるのだから。猛獣使いで暮すよりは、豚飼いの方が安気《あんき》でいいのだ。そう諦めるより仕方がない」

こう思って彼は自分を慰めた。彼は女性解放というような事も黒奴解放以上には解していない男であった。

三

類は友を呼ぶの譬《たとえ》に洩《も》れず、来る女中来る女中、皆《みんな》気が利かなかった。する事総《すべ》てが彼の思う壺《つぼ》を外れた。が、彼の機嫌のいい時はそれでもよかった。然し一たん虫の居所が悪いとなると、自分でも苦しくなる程、彼には叱言の種が眼の前に押し寄せて来た。そういう時彼は加速度に苛々《いらいら》し癇癪を起し、自分で自分が浅間しくなるのであった。

「総てに馬鹿さの感じが、漲《みなぎ》ってるじゃないか。家中《うちじゅう》が馬鹿さの埃《ほこり》で一杯だ。眼も口も開《あ》いてられやしない」こんな風に見得も振りもなく怒鳴り散した。

「又、出家遁世《とんせい》ですか」

「本統に俺は旅行するから、直ぐ支度をしてくれ」

「お株が始まりましたネ」

「直ぐ支度してくれ」

「何をそんなに怒っていらっしゃるの？　何もそれ程お怒りになる事ないじゃありませんか。何がいけないの？」

「一から十までいけないんだ。十から百までいけないんだ」

子供から寝起きの悪い良人は朝飯《あさはん》の食卓でよくこういう癇癪を起した。空腹《くうふく》だと一層それが烈《はげ》しかった。

四

「つまり貴方があんまりお利口過ぎるのね」

或朝良人が珍しく機嫌のいい時、細君は笑いながらこんな事をいった。

「お前が馬鹿過ぎるんだよ」

「そう？　そんなら私も今度は出来るだけ利口に生れて来ますからね、貴方ももう少し馬鹿に生れて来て頂戴《ちょうだい》よ。釣合いがとれないからね」

「人間に生れて来たんじゃあ、いつまで経《た》っても同じ事だよ。女の馬鹿は昔から通り相場だ」

「人間でなく、何がいいの？」

「豚かね？」

「貴方さえおつき合い下さるなら……」細君は笑った。

「豚は御免蒙《ごめんこうむ》ろう」

「一番夫婦仲のいい動物は何《なに》なの？」

「何かな。狐なんかいいという事だ。樺太《からふと》の養狐場《ようこじょう》の話でそんな事を読んだ事がある。しかも厳格に一夫一婦だそうだ」

「感心ですわね。大変いい事ですわ」

その時良人は一夫多妻主義の動物は何か、と考えていた。然しそれは口に出さず、

「狐も俺はいやだよ」と云った。

「それじゃあ何がいいの？　他《ほか》に夫婦仲のいい動物あって？」

「鴛鴦《おしどり》かな？　えんおうの契《ちぎり》で」

「鴛鴦は綺麗《きれい》でいいわ」

「但《ただ》し綺麗なのは雄だけだが、それでもいいかね？」

「結構ですわ。それじゃあそういう事に今からお約束して置きますよ。忘れちゃあいけませんよ」

「忘れるのはお前だ。間違えて家鴨《あひる》なぞに生れて来ると取り返しがつかないよ」

「まさか」

「まさかなものか。あり勝ちな事だ」

五

さて、これからがお伽噺《とぎばなし》になる。何十年か経ってこの口やかましい良人は一生細君に叱言の云いつづけ、癇癪の起し続けで、目出度く死んで了《しま》った。細君は一方ほっともしたが、叱言ももう聞けない事かと思うとさすがに淋しい気持になった。細君は一層耄碌《もうろく》した。そして死ぬさえ忘れたかのように気楽にそれからしばらく生きていた。

死んだ良人は約束通り鵞鳥に生れ変って、細君の死ぬのを待っていた。彼は細君が暢気《のんき》らしくいつまでも生きているのを相不変《あいかわらず》だと思った。彼は一緒に外出する機《おり》、よく門の外でながく待たされた事などを憶《おも》い出していた。

六

何年かして細君の方も到頭死んだ。そしていよいよ生れ変る時が来たが、何に生れ変るのか、それを忘れて了った。鴛鴦だったかしら、狐だったかしら、それとも豚だったかしらと考えた。豚でない事は確に思えたが、鴛鴦か狐かが分らなくなった。細君にはどうも鴛鴦だったように思えた。然し日頃良人が口癖のように云っている事を憶い出した。「迷う二つの場合があると、お前はきっといけない方を選ぶ。たまにはまぐれにもいい方を選びそうなものだが、宿命的に間違いを選ぶのは実に不思議だよ」

　これを憶い出すと細君は尚《なお》迷わずにはいられなかった。自身が鴛鴦だったように思う所にその宿命の落穴があるに違いない、これは逆に狐を選ぶ方が却《かえ》って間違いないだろう。そう考えて、とうとう狐に生れ変って了った。

七

　女狐《めぎつね》は森から森、山から山と良人を尋ね歩いた。然し却々《なかなか》出会う事は出来なかった。そしていよいよ尋ねあぐみ、或山奥に来た時に、その時は既に三日も餌《え》にありつかず、疲労から殆《ほと》んど昏倒《こんとう》するばかりになっていたが、遥《はる》か下の方に流れの音を聞くと、せめて水なりと飲んで一時をしのごうと、力の抜けた足を踏みしめ踏みしめよろよろとその方へ降りて行った。

良人の鴛鴦は清い渓流に独り淋しく暮していた。彼は今も潭《たん》をなす水面から一寸《ちよつと》頭を出している一つの石の面《めん》に片足で立ち、うつらうつらしていると、不図何か自身に近づくもののあるのに気が附いた。彼は驚いて飛び立とうとした。が、同時にそれが待ちに待った細君である事に気附くと二度びっくりし、思わず叫んで、その傍《そば》へ飛んで行った。

女狐も驚いた。然し今は余りの喜びと空腹とから、彼《か》の女はそのまま其処《そこ》に意気地なく這《は》いつくばって了った。

さて、両方で顔を突き合して見て、初めてその大変な間違いに驚き呆《あき》れた。

良人は女狐の臭気にむせ返りながら、それでも直ぐ持前の癇癪を起し怒鳴り出した。

「何と云う馬鹿だ！」

八

女狐は泣く泣く自身の思い違いを詫《わ》びた。然しいくら詫びたところで、又よし良人がそれを赦《ゆる》したところで、もう追いつかなかった。

良人の鴛鴦は頭の毛を逆立て、羽搏《はばた》きをしながら怒っている。女狐の方は詫も詫だが、空腹と疲労から意識も絶え絶えに言葉さえはっきりとは口に出なくなった。眼の前で怒鳴り散らしているおしどりは良人には違いなかったが、少し意識がぼんやりして来ると、それ以上にこの上ない餌食に見えて仕方なかった。要領の悪いところから兎《うさぎ》にも野鼠《のねずみ》にも逃げられ通して来た細君には一層その感が深かった。然しこれは餌食ではないぞ、大事な大事な良人だぞと心に繰り返して我慢しているのだが、良人の叱言は余りに執拗《しつこ》かった。

今はどうにも堪えられなくなった。女狐は一ト声何か狐の声で叫んだと思うと不意におしどりに飛びかかり、忽《たちま》ちの内にそれを食い尽して了った。——と云う話である。

これは一名「叱言の報い」と云う大変教訓になるお伽噺である。

「それは口やかましい良人に対する教訓なのですか」

「そうです」

「気の利かない細君の教訓にもなりますね」

「そうですか」

「叱言を言われてもその細君が良人を愛している場合には……」

「成程」

「これは貴方の御家庭がモデルなのでしょう」

「飛んでもない事です。私の家内は珍しい気の利いた女です。私とても至って温厚な良人です。私の家庭では叱言の声など聞く事は出来ません。文藝春秋と云う雑誌に私の名で家内安全の秘法を授く、と広告が出ていた位です」

濠《ほり》端《ばた》の住まい

一ト夏、山陰松江に暮した事がある。町はずれの濠《ほり》に臨んだささやかな家で、独り住まいには申し分なかった。庭から石段で直ぐ濠になっている。対岸は城の裏の森で、大きな木が幹を傾け、水の上に低く枝を延ばしている。水は浅く、真菰《まこも》が生え、寂びた工合、濠と云うより古い池の趣があった。鳰鳥《におどり》が始終、真菰の間を啼《な》きながら往《ゆ》き来した。

私は此処《ここ》で出来るだけ簡素な暮しをした。人と人と人との交渉で疲れ切った都会の生活から来ると、大変心が安まった。虫と鳥と魚と水と草と空と、それから最後に人間との交渉ある暮しだった。

夜晩《おそ》く帰って来る。入口の電燈に家守《やもり》が幾疋《ひき》かたかっている。この通りでは私の家《うち》だけが軒燈をつけている。で、近所の家守が集って来る。私はいつも頸筋《くびすじ》に不安を感じ、急いでその下を潜《くぐ》る。それは虫でも、ありがたくない方の交渉だが、その他《ほか》、私が若《も》しも電燈をつけ忘れてでもいれば、色々な虫が座敷の中に集っていた。蛾《が》や甲虫《かぶとむし》や火取り虫が電燈の周りに渦巻いている。それを覘《ねら》う殿様蛙《とのさまがえる》が幾疋となく畳の上に蹲踞《うずくま》っている。それらは私の跫音《あしおと》に驚いて、濠の方へ逃げて行くが、柱にとまった木《こ》の葉《は》蛙は出来るだけ体を撓《ね》じ屈《ま》げ、金色の眼をクリクリ動かしながら私と云う不意な闖入者《ちんにゅうしゃ》を睨《にら》みつけている。実際私は虫の棲家《すみか》を驚かした闖入者に違いなかった。

私は一ト通り虫を追い出し、この座敷を自身のものに取り返す。そして、書きものを始める。明け方、疲れ切って床へ入る。濠では静かな夜明けを我もの顔に鯉《こい》や鮒《ふな》が騒いでいる。丁度産卵期で、岸でそれらは盛に跳ね騒いだ。私はその水音を聴きながら眠りに落ちて行く。

十時。私はもう暑くて寝ていられない。起きると庭つづきの隣のかみさんが私の為《ため》に火種を持って来る。七厘はいつも庭先の酸桃《すもも》の木の下に出しっぱなしにしてある。かみさんは勝手に台所から炭を持って来て、それで火をおこし、薬鑵《やかん》をかけて帰って行く。私は床をあげ、井戸端で顔を洗い、身体《からだ》を拭《ふ》いてから食事の支度にかかる。パンとバタと——バタはこの県の種畜牧場で出来る上等なのがあった。——紅茶と生の胡瓜《きゅうり》と、時にラディシの酸漬けが出来ている。

前に私は尾の道に独り住まいをして、その時は初めて自家《うち》を離れた淋しさから、なるべく居心地よく暮す為に、日常道具を十二分に調えた。然し実際はそれらを少しも使わなかった経験から、今度は出来るだけ簡素にと心掛けた。

食器はパンと紅茶に要るもの以外何もなかった。若し客でもあると、瀬戸ひきの金《かな》盥《だらい》で牛肉のすき焼をした。別にきたないとは感じなかった。却《かえ》ってそれを再び洗面器として使う時の方がきたなかった。一つバケツで着物を洗い、食器を洗った。馬鈴薯《じゃがいも》を洗面器で茹《ゆ》でる時、台所のあげ板を蓋《ふた》にした。

私が寝ている間に釣好きの家主がよく鮒や鯉を釣って行った。私の為に七八寸の大きな鮒を鰓《えら》から糸を貫《とお》し、犬でも繋《つな》ぐようにして濠へ放して置いてくれる事がある。私はそれを刻んで隣の鶏にやる。

となりは若い大工の夫婦で、然《しか》し本業は暇らしく、副業の養鶏の方を熱心にやっていた。庭に境がなく、鶏は始終私の方にも来ていた。鶏の生活を叮嚀《ていねい》に見ていると却々《なかなか》興味があった。母鶏《おやどり》の如何《いか》にも母親らしい様子、雛鶏《ひなどり》の子供らしい無邪気の様子、雄鶏《おんどり》の家長らしい、威厳を持った態度、それらが、何《いず》れもそれらしく、しっくりとその所に嵌《はま》って、一つの生活を形作っているのが、見ていて愉快だった。

城の森から飛びたつ鳶《とび》の低く上を舞うような時に、雌鶏、雛どり等《など》の驚きあわてて、木のかげ、草の中に隠れる時、独り傲然《ごうぜん》とそれに対抗し、亢奮《こうふん》しながらその辺を大股《おおまた》に歩き廻っているのは雄鶏だった。

小さい雛達が母鶏のする通りに足で地を掻《か》き、一ト足下って餌《え》を拾う様子とか、母鶏が砂を浴び出すと、揃《そろ》ってその周りで砂を浴び出す様子なども面白かった。殊《こと》に色の冴《さ》えた小さい鳥冠《とさか》と鮮かな黄色い足とを持った百日雛《ひゃくにちびな》の臆病《おくびょう》で、あわて者で、敏捷《びんしょう》で如何にも生き生さしているのを見るのは興味があった。それは人間の元気な小娘を見るのと少しもかわりがなかった。美しいより寧《むし》ろ艶《つや》っぽく感ぜられた。

縁に胡坐《あぐら》をかき、食事をしていると、きまって、熊坂長範《くまさかちょうはん》という黒い憎々しい雄鶏が五六羽の雌鶏を引き連れ、前をうろついた。熊坂は首を延ばし、或予期を持って片方の眼で私の方を見ている。私がパンの片《きれ》を投げてやると、熊坂は少し狼狽《あわて》ながら、頻《しき》りに雌鶏を呼び、それを食わせる。そしてあいまに自身もその一ト片《きれ》を呑《の》み込んで、けろりとしていた。

或雨風の烈《はげ》しい日だった。私は戸をたてきった薄暗い家の中で退屈し切っていた。蒸々として気分も悪くなる。午後到頭《とうとう》思いきって、靴を穿《は》き、ゴムマントを着、的《あて》もなく吹き降りの戸外《そと》へ出て行った。帰り同じ道を歩くのは厭《いや》だったから、私は汽車みちに添うて、次の湯町《ゆまち》と云う駅まで顔を雨に打たし、我武者羅《がむしゃら》に歩いた。雨は骨まで透《とお》り、マントの間から湯気がたった。そして私の停滞した気分は血の循環と共にすっかり直った。

途々《みちみち》見た貯水池の睡蓮が非常に美しかった。森にかこまれた濡灰《ぬれはい》色の水面に雨に烟《けぶ》ってぼんやりと白い花がぽつぽつ浮んでいる。吹き降りに見る花としてはこの上ないものに思われた。

湯町から六七町入った山の峡《はざま》に玉造《たまつくり》と云う温泉があるが、その時丁度、帰るにいい汽車が来たので、私はそのまま引きかえした。

松江の殿町《とのまち》という町の路地の奥に母子《おやこ》二人ぎりでやっている素人《しろうと》下宿がある。私はいつもその家《うち》で夜の食事をしていた。帰途《かえり》、その家へ寄る。

日が暮れると雨は小降りになった。

暫《しばら》くして浴衣《ゆかた》と傘と足駄とを借り、私がその家《いえ》を出た頃には風だけでもう雨は止《や》んでいた。昼の蒸々した気候から急に涼しい気持のいい夜になっていた。物産陳列場の白いペンキ塗りの旧式な洋館の上に青白い半かけの月がぼんやり出ていた。切れ切れな淡い雲が一方へ一方へ気忙《きぜわ》しく飛ばされて行く。

いい位の疲労と満腹とで私は珍しくゆったりした気分になっていた。これから仕事で夜を明かすには惜しい気分だった。気楽な本でも読みながら安楽に眠りたい気分だ。私は帰ると、床をのべ、横になった。誂《あつら》え向きの読物もなく、読みかけの飜訳《ほんやく》小説に眼をさらし、直ぐ眠るつもりだったが、さて、毎夜の癖で眠ろうと思うと却《かえ》って眼が冴え、却々《なかなか》ねつかれなかった。

私はその小説を何《ど》の位読んだろう。その時不意に隣の鶏《とり》小屋で気魂《けたたま》しい鶏の啼声と共に何か箱の中で暴れる音と、そして大工夫婦が何か怒鳴りながら出て来るのを聴いた。私は枕《まくら》から首を浮かし、耳を澄ました。鼬《いたち》か猫かがかかったに違いないと思った。物音は直ぐやみ、雌鶏のコッコッと啼く声だけがしていた。夫婦は其処《そこ》で立話をしていたが、それも少時《しばらく》して家へ入り、あとは又元の静かさに返った。まあ、鶏も無事だったのだろう、そう思い、間もなく私も眠りに就いた。

翌日は風も止み、晴れたいい日になっていた。毎日の事で私が雨戸を繰ると隣のかみさんは直ぐ火種を持って来た。かみさんは私の顔を見るなり、

「夜前《やぜん》到頭猫に一羽とられました」と云った。

「……」

「母鶏《おやどり》ですよ。――なにネ、吾身《わがみ》だけなら逃げられたのだが、雛を庇《かば》って殺されたんですよ」

「可哀想《かわいそう》に……」

「あすこに居る、あの仲間の親です」

「猫はどうしました」

「逃しました」

「残念な事をしましたね」

「そりゃあ、今夜、きっとおとしにかけて捕りますよ」

「そううまく行きますか」

「きっと捕って見せます」

　雛等は濠のふちの蕗《ふき》の繁《しげ》みの中にみんな踞《かが》んで、不安そうに、首を並べてピヨピヨ啼いていた。私が近づくと雛等は此方《こっち》へ顔を向けていたが、中の一羽が起《た》つと一斉にみんな起ち上って前のめりに出来るだけ首を延ばし、逃げて行った。

「親なしでも育ちますか」

「そりゃあ」

「他《ほか》の親が世話をしないものですか」

「しませんねえ」

　実際、孤児等に対し他の母鶏は決して親切ではなかった。孤児等は見境なく、自分達より、少し前に孵《かえ》った雛と一緒になって、その母鶏の羽根の下にもぐり込もうとした。母鶏はその度神経質にその頭や尻《しり》をつついて追いやった。孤児等は何かに頼りたい風で、一団となり、不安そうにその辺を見廻していた。

　殺された母鶏の肉は大工夫婦のその日の菜になった。そしてそのぶつぎりにされた頰の赤い首は、それだけで庭へほうり出されてあった。半開《はんびら》きの眼をし、軽く嘴《くちばし》を開《ひら》いた首は恨みを呑んでいるように見えた。雛等は恐る恐るそれに集るが、それを自分達の母鶏の首と思っているようには見えなかった。ある雛は断り口の柘榴《ざくろ》のように開《き》いた肉を啄《ついば》んだ。首は啄まれる度、砂の上で向きを変えた。私は今晩猫がうまく穽《おとし》にかかってくれるといいがと思った。

その夜《よ》、晩く到頭猫は望み通り穽《おとし》にかかった。起きて来た大工夫婦は、亢奮した調子で何かしゃべりながら、穽《わな》に使った箱を上から、尚《なお》厳重に藁縄《わらなわ》で縛り上げた。

「こうして置けばもう大丈夫だ。あしたはこのまま濠へしずめてやる」こんな事を云っているのが聴えた。

大工夫婦は家《いえ》へ入った。私はそれからも独り書き物をしていたが、箱の中で暴れる猫の声がやかましく、気になった。今宵一ト夜の命だと思うと可哀想でもあるが、どうも致方ないとも思われた。

猫は少し静かにしていると思うと、又急に苛立《いらだ》ち、ぎゃあぎゃあと変な声を出して暴れた。がりがりと箱を掻く音がうるさい。然しそれも到底益ないと思うと、今度はみょうみょうと如何にも哀れっぽい声で嘆願し始める。猫は根気よくそういう声を続けているが、その内私も段々それに惹《ひ》き込まれ、助けられるものなら助けてやりたい気持になった。

猫は散々それを続けた上で、尚その効《かい》がないと知ると絶望的な野蛮な声を張り上げて暴れ出す。それらを交互に根気よく繰り返した末に、結局何も彼も念《おも》い断《き》った風に静かになって了《しま》った。

私は現在そこに息をしているものが夜明けと共に死物と変えられて了う事を想《おも》うといい気がしなかった。この静かな夜更《よふ》け、覚めている者と云っては私とその猫だけだった。その一つの生命があしたは断たれる運命にあると思うと淋しい気持になる。猫が鶏《とり》をとるのは仕方がないではないか。殊に浮浪者の猫が、それを覗《ねら》うのは当りまえの事だ。さればこそ、鶏を飼う者はそれだけの設備をして飼っている。偶々《たまたま》、強雨《ごうう》で、箱の蓋を閉め忘れた為に襲われたと云う事は、猫が悪いよりも、忘れた者の落度と見る方が本統なのだ。特別の恩典を以《も》って今度だけは逃してやるといいのだ。私は昼間雛等を見ていた時と大分異《ちが》った気持でそんな事を思った。

然し、事実はそれに対し、私は何事も出来なかった。指一つ加えられない事のような気がするのだ。こう云う場合私はどうすればいいかを知らない。雛も可哀想だし母鶏も可哀そうだ。そしてそう云う不幸を作り出した猫もこう捕えられて見ると可哀そうでならなくなる。しかも隣の夫婦にすれば、この猫を生かして置けないのは余りに当然な事なので、私の猫に対する気持が実際、事に働きかけて行くべくは、其処に些《さ》の余地もないように思われた。私は黙ってそれを観ているより仕方がない。それを私は自分の無慈悲からとは考えなかった。若し無慈悲とすれば神の無慈悲がこう云うものであろうと思えた。神でもない人間——自由意思を持った人間が神のように無慈悲にそれを傍観していたという点で或いは非難されれば非難されるのだが、私としてはその成行きが不可抗な運命のように感ぜられ、一指を加える気もしなかった。

翌日、私が眼覚めた時には猫は既に殺されていた。死骸《しがい》は埋《う》められ、穽《おとし》に使った箱は陽なたで、もう大概乾かされてあった。

冬の往来

寒い空《から》っ風の吹く日暮だった。私は小説家の中津栄之助と山の手の或町を歩いていた。

「正月号の仕事はもう皆《みんな》済んだのか？」私はこの間中から口癖のように忙しい忙しいと大袈裟《おおげさ》に吹聴《ふいちょう》しながら、毎日何処《どこ》か出歩いてばかりいる中津にこう訊《き》いて見た。

「駄目さ」

「何日《いつ》が〆切《しめき》りなんだ」

「あしたが〆切りだ。未《ま》だ何にも出来てやしない」

「材料はあるのか」

「うん、それはあるんだが、どれに手をつけても、そう直ぐは物になりそうもないんで、愚図愚図して了《しま》うんだ。どうも勇気がなくて駄目だよ」

「あんまり怠けてばかりいるからだ」

世間では仕事に念を入れ過ぎて書けないように解《と》られているが、――彼自身も幾らかその気でいるらしいが、私からいえば彼は子供からの只《ただ》の怠け者に過ぎない。

「それは怠けてもいるが、少しつめて机に向うと、胃が悪くなったり、熱が出たり、何かしら故障が起るんだ。実際不思議な位だ」

「ふだん、やりつけない事をすると直ぐ身体《からだ》に障る……」

「その通りだ」

二人は笑った。

風は時々往来の砂埃《すなぼこり》を捲《ま》き上げ、大砲の煙のように押し寄せて来た。私達は幸い、風下《かざしも》を向いていたが、それに向う人々はその度立ち止って、背後《うしろ》を向くか、帽子を顔に当てるかして、やり過していた。別に用もない私達ではあったが、知らず知らず急ぎ足に歩いていた。

往来は割に賑《にぎや》かだった。私は彼方《むこう》から肥《ふと》った女の人を乗せた一台の俥《くるま》の来るのを何気なく見ていた。女の人は四十以上に見えた。はっきりした眼鼻立ちの色白で、でっぷりと肥った、如何《いか》にも豊かな感じの人だった。髪は無造作なひっつめに結っている。女の人は一方に大きな風呂敷包を抱え、片一方に三つばかりになる女の児《こ》を抱いていた。その一人《にん》乗りの俥に食《は》みだした様子が可笑《おか》しかった。

「ああ、薫《かおる》さんだ」中津は小声でこういうと、何気なく一寸《ちよつと》顔を背向《そむ》けたが、又思いかえしたように俯向《うつむ》いて了った。

俥は近づいて来た。中津が心の平衡を失っているのが分った。彼は顔を赧《あか》らめている。私には彼のそういう様子が如何にも子供染《じ》みて見えた。何をそんなにドギマギしているのだろうと思った。

倖がそばに来た時に彼は不意に顔を上げ、いやに叮嚀《ていねい》なお辞儀をした。女の人も一寸頭を下げたが、それは中津を中津と認めて下げたのではないらしかった。女の人は尚《なお》不審そうに凝《じ》っと此方《こっち》を見ていた。

この時、丁度又大砲の煙のような埃が押し寄せて来た。両手の塞《ふさが》っている女の人はそれを顔へ真正面《まとも》に受け、顔中の筋肉を鼻へ集め、妙な顰《しか》め面《つら》をした。それでも薄眼で此方《こっち》を見ていたが、漸《ようや》く彼を認めたらしく、

「あら……！」そう云って子供の頭の上で窮屈そうに頭を下げた。そして女の人はその奇妙な顰め面のまま、擦《す》れ違って行った。

「君はあの人を見たかね」暫《しばら》くして中津が云い出した。

「見た」と云うと、彼は続けて、

「あれは薫さんと云う人だよ」

「ふむ」

「僕の初恋の人だ。そして今でも恋人なのだ」

「恋人？」私は多少びっくりして訊き返した。

「そうだ、恋人と云っていいだろう。勿論《もちろん》僕だけの気持でいうのだが」

「むこうの人はどうなのだ」

「薫さんは何にも知ってやしない。初めから仕舞まで何にも知ってはいないのだ。僕は遂《つい》に打ち明ける機会なしに失恋して了ったのだ」

「打ち明けない内にあの人が結婚して了ったのか」

「そうじゃあない。僕があの人を意識にのぼらして恋し出したのは五年程前、あの人が未亡人になってからの事だ」

「然《しか》し、それが君が云い出さない内に再婚したんじゃないか」

「いや、あの人はその時から未《いま》だにずっと一人でいる」

「今の小さい子供はどうしたのだ」

「ああの子供か。あれはあの人の孫だよ」

　私は危くふき出しかけた。然し今、頭も胸もその人の事で一杯だというような彼の真剣な顔つきを見ると笑うわけには行かなかった。勿論私はこの親しい友を笑い者にしようなどとは毛頭思わない。が、笑わないまでもとにかく、それは可笑しな事には違いなかった。一体中津はこれまで余りラヴストーリーは書かない方だった。私は恐らく彼自身の経験に書く程の事件がなかったのだろうと思っていた。実際彼は書かないばかりでなく話しさえしなかった。ところで、今私は彼からそういう経験のあった事を聞き、その恋人を眼《ま》のあたりに見る光栄をも持ったわけである。

「君は何故《なぜ》それを作物《さくぶつ》に書かないのだ」

「書く時期が来たら書くつもりでいる」

「話す時期が来たから話したのか」こう云って私は笑った。私はそれを別に厭味《いやみ》のつもりで云ったのではなかったが、彼はそう解《と》った。

「別に隠す気ではなかったが、話す機会がなかったのだ。然し君が聴いてくれるなら、僕は喜んで話す」

「そうか」

「君は聴いてくれるかね？」

「勿論喜んで聴く」

以下はそれから彼の話し出した彼の「薫さんの話」である。然しこの話は余り精《くわ》しく書くわけには行かない。何故なら、時期が来れば彼自身精しく書くつもりでいる材料だからである。


僕が薫さんを初めて見たのは姉の結婚披露が紅葉館《こうようかん》であった、その時だった。薫さんは先の親類の一人として来ていた。四つ位になる男の児と多分十位になる瘦《や》せた女の児とを連れて来ていた。良人《おっと》というのは或官省の課長をしている瘦せた小さな人で評判では所謂《いわゆる》切れ者で官吏としても先のある人だというような事だった。年はよく分らなかったが、薫さんの大ような豊かな感じとは全く反対に、変にひねこびた感じがする、大分年のいった人に僕には思えた。後で聴いた事だが、薫さんは元来この人の弟の所へ行く筈《はず》だった。それが結婚間際《まぎわ》に弟が死に、それで話はそれ切りになりかけたのだが丁度その頃今の良人が細君を亡《な》くなし、子供もない所から、その方へ来ては貰《もら》えないだろうかというような話になった。元々弟に対して別に愛情があったわけではない。で、云われるままに薫さんは今の良人の所へかたづいて来たのだという事だ。

薫さんは僕の祖母と火鉢を挟み、女持にしては少し太過ぎる旧式な銀煙管《ぎんぎせる》でうまそうに煙草《たばこ》をのみながら、何かしきりに話し込んでいた。僕は遠くからその様子を見、その人に対し、今日初めて見た人ではない、前からよく知っている人だというような親しい感じを持った。とにかく薫さんは僕にとって、一人の立派な母性として映っていた。少くもその時はそれ以上で惹《ひ》きつけられていたとは思えない。当時僕は二十《はたち》で、高等学校に通《かよ》っていた。

その後薫さんとは時偶《ときたま》に会う機会があった。直接の親類でないからお互の家《うち》としての交渉は殆《ほとん》どなかったが、姉の家で何かある場合、よく其処《そこ》で落ち合った。

或時僕は姉から、薫さんが近頃神経衰弱で転地していると云う噂《うわさ》を聴いた。何の屈託もなさそうな、あの大ような薫さんにもそんな事があるのかしらと僕は不思議な気がした。それを云うと、未だ娘っ気の脱けない姉はいつも癖で、眼に角を立て、さも軽蔑《けいべつ》するように、

「薫さんという方は、お前さんなんぞが考えている、只それだけの方じゃあ、ありませんよ」と云った。

そして姉は、薫さんが結婚してから後、或恋愛事件の為《ため》に家を飛び出した事のある人だという話をした。これは僕にとっては全く思いがけない事だった。

薫さんの父というのは自由民権というような事を云った政客の一人だった。最初他《ほか》の専門で外国へ行ったのが、彼地《むこう》で中江兆民《なかえちようみん》などと親しくなり、帰って来た時にはもう一トかどの仏蘭西《フランス》仕込みの政論家になり済ましていた。こういう人だったから、初めの内は地方遊説などに多勢の壮士などを引き連れて歩いたものだが、それも或一時代で、その後或新聞の主筆として前とは生活も幾らか落ちついた頃には、以前の壮士流の人間は余り出入りしなくなった代りに、私立大学出という種類の青年達が大分その門に集った。薫さんの恋愛事件の対手《あいて》だった岸本というのはその仲間の一人だった。

地方出の、今見る薫さんのように肥った、——当時十七八の薫さんは今のようにあんなに肥った人ではなかったそうだ。すらりとした、そうもいえまいが、とにかく、せいに延びる年頃で普通の娘らしい若さを持った人だった、——が、今いう岸本という人は丁度今の薫さんのようにでっぷり肥った如何にも落ちついた所謂胆汁質という側《がわ》の人で、眼尻《めじり》の下った、風采《ふうさい》は普通いう好男子とは遠かったが、何かしら人を惹きつけるものを持った、信頼するに足るという感じを与える方の人だった。薫さんは恋とは知らず只心の中《うち》でこの人を好いていた。その人もまた、薫さんに対し、同じような気持を持っていたが、さりとて、互にそれを気《け》にも現せない妙な一種の神経質を持っていたのだ。つまりは互に思いながら、対手の心を少しも知らずにいた。

薫さんの父は比較的自由な考を持っていた人だから、その気持を何方《どちら》かで一寸でも現す事が出来たら、堰《せ》かれた水は一時に流れ出し、万事はうまく運んだに違いないのだが、其処が、互の神経で、自分だけの気持とのみ思っていたから、気にもそれを現そうとはしなかった。しかも、それならそれで、仕舞までそれで過せば何の面倒も起らなかったが、薫さんが結婚して一年余り、薫さんの父が死んだ時に、そのお通夜《つや》で二人が一緒に夜を明かし、はしなく、その事が両方の心に通じて了った。これはよく云う運命の悪戯《いたずら》とでも云うような事だった。

岸本という人はしっかり者だけにこう云う事には態度は明瞭《はっきり》していた。自分は勿論結婚を切に望んでいる。然し貴女《あなた》が今の良人と別れて出て来る手伝いまでは出来ない。それは貴女自身の領分内の事だ。其処まではどうしても貴女自身で解決をつけて来なければならぬ。然し若《も》しそれだけを貴女自身で型をつけさえすれば、後は総《すべ》て私がやる。対世間の事柄でも何でも、そのためにどんな犠牲を払う事も自分は決して辞さない。貴女はその自分の領分内の事を自分で処理出来るだろうか？　こう云ったそうだ。薫さんは「やります」と答えた。その場では勿論自分でやって見せる気でいたのだが、さて家《うち》へ帰って見ると、この関所は却々《なかなか》そう容易《たやす》くは破れなかった。薫さんは悶《もだ》えながら空《むな》しく日を過すより仕方がなかった。薫さんにしろ無断で飛び出すなら、出来ない事ではなかった。然しそれでは岸本の云う解決にはならなかった。実際こういう難問題を女に課するという事は無理である。岸本がもっと女というものをよく知っていたら、こういう難問題は課さなかったに違いない。が、彼は未だ若かった。その上総てを理想的に考える方だった。彼は女に出来ない事を女に要求したわけだ。そして彼は独り薫さんの出て来る日を力瘤《ちからこぶ》を入れて待っていた。

薫さんからは時々手紙が来たが、要するに女らしい愚痴ばかりで、それには少しもその事に突き進んで行く力が現れていなかった。岸本は歯がゆかった。が、最初の決心通り、彼はその事には直接一指をも加えない気で返事さえ出さなかった。薫さんの方はどうしても岸本の力を借りなければこの関は破れない。そして空しく幾月かが過ぎて了った。

岸本の方も苦しかった。その事が自分の領内に入って来た場合には、どうにでも片附けて見せる気ではいるものの、未だ其処まで来ない今、彼には力の入れようがなかった。彼は何事にも手がつかず蛇の生殺《なまごろ》しで日を送っていたが、仕舞にはさすがの彼もそれに堪えられなくなった。もう仕方がない。いつかはその日が来るに違いないが、それまで自分はこうして手を束《つか》ねて待ってはいられないと思った。彼は一年でも二年でも息抜きに亜米利加《アメリカ》へ行くことにした。

岸本はこの場合薫さんに無断で行って了《しま》うわけには行かなかった。彼は寧《むし》ろ事務的に、いつ幾日《いつか》の船で渡米するというだけの手紙を薫さんに出した。そしてその前日彼は横浜の西村という船《ふな》はたご屋へ行っていると、夜晩《おそ》くなって、突然薫さんが家《うち》を飛びだし、其処へ訪ねて来た。薫さんはこのまま自分もどうか連れて行ってくれと泣いた。これは薫さんとしては精一杯だった。薫さんは良人に宛《あ》て手紙一つ残し、着のみ着のままで出て来たのだ。

これには岸本も弱った。来てくれた事は嬉《うれ》しかったが、薫さんのいうような事は出来なかった。それでは最初から約束の本統の解決にはなっていなかったし、とにかく、未《ま》だ人妻である薫さんをこのまま同じ宿へ泊めるわけには行かなかった。彼は止《や》むを得ず薫さんの実母に直ぐ来てくれるよう電話をかけた。

二人——実母と良人は終列車で来た。良人はわざと岸本と会う事を避け、別室に入って了ったが、その意を受けた母親から岸本は薫さんが既に妊娠四カ月である事を聴くと、彼は崖《がけ》からいきなり突き落されたように感じた。

良人の云い分はこうだった。岸本のこの事に処する態度の公明正大である事を先《ま》ず充分に認め、それで自分の方でもこれを匹夫匹婦《ひっぷひっぷ》の痴情の争いには、したくない。で、薫さんの心がそれ程まで貴方の方へ傾いているものなら、自分の方も薫さんに対する愛がさめたわけではないが、潔《いさぎ》よく彼女をあきらめるつもりだ。けれども、只一つここに条件がある。それは薫さんの胎《はら》にある子供の事で、この未だ見ぬ児《こ》に対する父親の責任として、このまま薫さんを米国へやって了う事はどうも忍び難い。夫婦の関係はこのまま切っても差支《さしつか》えない、が、胎の児が無事に生れるまでは実家へやってなり、又別居なりしても薫さんを自分の手近に止《と》めて置きたい。この事は貴方ばかりでなく薫さんにも是非快く認めて貰いたいものだ。こういう話だった。

岸本はその話を聴きながら夢から覚めたような変に白けた気持になっていた。彼は理想家だった。その彼にとって薫さんが妊娠したという事は実に晴天の霹靂《へきれき》にも等しかった。四カ月といえば彼と心を打ち明けて一カ月か二カ月後《ご》の事だ。そう云う事があり得るものだろうか。

彼は勿論、その場では何も云えなかった。そして翌日《あくるひ》彼は淋しい姿で二三の友に送られ、一人米国へたって行った。

その後岸本からどう云う事が薫さん、又薫さんの良人の方へ云って来たか分らないが、とにかく岸本はそれから十年余り彼地《むこう》へ行ったきり日本へは帰って来なかった。そして帰って来た時にはその為ばかりでもあるまいが、直ぐ満洲の方に仕事を見つけ、その方へ出掛けていったという事だ。未だに独身でいるというような噂もある。そして薫さんがそのままうやむやに良人の家に落ちついて了った事は云うまでもない。

この話は僕には全く意外だった。この話で僕は僕の頭にある薫さんという人間を全く作り変えねばならなかった。何処《どこ》にそういう熱情をあの人は隠しているのだろう？そういう熱情が今も尚《なお》あの人の何処かに隠されてあるのだろうか、そう思った。が、僕がそう思ったのも実は束の間だった。僕はそれでこそ、あの人があの人らしくなった、それでこそあの人が丸彫りになったのだ、と、直ぐこんなに思うようになった。僕は今まであの人を余りに平面的に見ていた。それは岸本があの人の妊娠に幻滅を感じた事が余りに平面的な見方からであったと同様であると考えた。

　それから年月《としつき》が経《た》つにつれ段々に薫さんという人が僕には明瞭《はっきり》して来た。同時に平凡にもなって来たが、薫さんに対する知らず知らずの好意は少しも変らなかった。姉の家《うち》で落ち合ったりすると、その日一日、或いは翌日《よくじつ》までも私は云いしれぬ淡い幸福を感ずる事がある。然しそれが薫さんを自分が恋しているからだとは僕は少しも考えなかった。臆病《おくびょう》者の僕にはそれは考えられない。人妻を恋する。——そういう経歴を持った人だから恋する、若《も》しこうなって来ると、それは尚考えてはならぬ事だった。が、事実は僕はやはり薫さんを恋していた。只それを意識に上《のぼ》らせる事がどうしても出来なかった。これは臆病といえば臆病だが、人間はそれでいいのだと思う。時には人妻を好きにならぬとはかぎらない。然し好きは好きでも、それ以上に自分で嵩《こう》じさせないのが人間の運命に対する智慧《ちえ》なのだ。

　僕の薫さんに対する気持はこう云った不即不離の状態のまま続いた。どんどん月日が経った。その間に話すべき事も別に起らなかった。そうして今から五年前、初めて薫さんに会った時から云えば七年目に薫さんの夫はインフルエンザで亡くなった。

　或日僕は祖母と姉とがこんな話をしているのを聴いた。

「薫さんは今、お幾つかね」

「そうね、割に老《ふ》けてお見えになるけれど、お三十四かしら、五かしら」

「未だお若いんだね」

「そうよ、私とは五つか六つしかおちがいにならないのよ。本統にお可哀想ですわ」

「でも、もう再婚はなさらないんだろ」

「それが、分らないの。若しかしたら、そういう事があるんじゃないかと私は考えてるの。別に変な話じゃありませんけどね、大分年のいった方で元〇〇鉄道の社長さんだった方からそういう申込みが、あったとか、なかったとか、何だかそんな事をこの間うちが云っていましたよ。――うちがその方に頼まれたのかしら……」

「それでお子さん達の方はいいのかね」

「それですわ。私もそれを云ったんですよ。ところが、雪子さんの方はもう直《じき》にお嫁にいらっしゃるんだし、茂《しげる》さんの方は当人さえ承知なら、此方《こっち》へ引きとって今まで通り一緒に暮して少しも差支《さしつか》えないと、何だか話が大変簡単なのよ」

僕はそういう話を聴いている内に、その席に居堪《いたたま》らない気持になった。僕は何気なく起《た》って自分の部屋に入って了った。

然しそれから間もない或日だった。僕は又姉の口から、薫さんがその話をきっぱり断ったという事を聴き、思わずほっと息をついたものだ。

薫さんの年に就て誠に迂闊《うかつ》な話ではあるが、僕はこれまで判然《はっきり》考えたことはなかった。只漫然四十越した小母さん――姉というよりも明かに小母さんという気持でそれを考えていた。ところが、姉の話によれば、姉と五つか六つ違い、自分から云えば六つか七つの違い、――そうなると、ここに今まで全く考えられなかった事が考えられて来た。全く望み得ないように思っていた事が満更望めない事ではないと云う気が僕にはして来た。僕はどうしたらいいか、手近い所でやはり姉に相談すべきだろう。姉が又例の意地悪い調子で僕を頭から馬鹿にするに違いない。或いはてんで取り合ってくれないかも知れない。が、又こんなにも考えた。根が善良な性質だけに此方の心を汲《く》んで、案外本気にその為尽くしてくれるかも知れぬ。何はしかれ、自分は機《おり》を見て姉にこれを打ち明けて置いてもいい。そう考えた。

が、こう考えながら、やはり僕は愚図々々していた。自然な云うべき機会も捕えられなかったし、我儘者《わがままもの》の姉から頭ごなしにやられるのも業腹《ごうはら》な気がしていた。その内或日突然、それは全く突然、僕は薫さんの訪問を受け、我ながら可笑《おか》しい程に甚《ひど》く亢《こう》奮《ふん》して了った。薫さんは実は祖母を訪ねて来たのだが、取次が留守だというと僕の名を云い、会いたいと云った。

「お邪魔じゃないこと?」薫さんは例の落ちついた様子で親し気に云った。

「いいえ、どうぞ」僕はそう云って薫さんを座敷へ通した。

薫さんはいつにない寛《くつろ》いだ様子で話してくれた。僕の事も色々訊く、――と云って別に立ち入った事ではなく、何が好きかとか何をどう思うかとか、そんな事だが、釣り込まれて僕も段々気楽な気分になって行った。どの位話したろう。

「お祖母《ばあ》様は却々《なかなか》お帰りになりそうもありませんね」

「さあ、もう帰るかと思いますけど……」

薫さんは祖母に用事でもあるらしく、帰りを待った。僕は少しでも長く薫さんにいて貰《もら》いたかった。

薫さんは一時間程いて帰って行った。僕はその日でずっと薫さんに近づく事が出来た。薫さんの方からもずっと近づいてくれた。その好意が、僕には通り一遍の好意とは思われなかった。全体これはどういう事だろう？　自信の乏しい僕は直ぐそう疑う気にもなる。自分は何処までそれに附け上って考えていいのだろう。僕は僕の好意を何《ど》の程度まで表明する事に成功したろう。それを薫さんはどう解してくれたろう。

僕は余りに自分が臆病であり、そういう事に自信のないのを歯がゆく思った。自分は薫さんより年下ではある、が、とにかく俺は男ではないか、男がこういう事に何時までも受身でいるという法はない。俺は一度此方《こっち》から薫さんを訪ねて行こう。

それから三四日しての事、姉は前に電話で僕達が家《うち》にいるかどうかを確めてから出掛けて来た。姉は上るなり、人の悪い微笑を浮べながら、

「今日は栄《えい》さん、お前さんの事で、少し御相談があって来たのよ」と云った。僕はそれだけで、ある予感からどきりとした。

中津は此処《ここ》まで、話したところで、改めて私の顔を見ていった。

「君、この姉の云う相談というのがどういう事だったか分るかね？　その時の僕の予感は間違っていたが、或いは君にはもう大概見当がついてるかも知れない。薫さんの娘の雪子さんを僕に貰う気はないかというのだ。薫さんが自分でそれを姉の所に頼みに来たのだ」

「そう……」

「これが僕に何を意味するか——万事休矣《きゅうす》。今更母親の方と結婚したいとは云い出せないじゃあないか。僕は姉のこの一言で見事崖から突き落された。岸本が妊娠を聴いて突落されたように一ト思いに突き落された。しかも前は胎児、今度は同じ人が雪子さんとなって僕を突き落した。先ず因縁とでも云いたいところだ」

「直ぐ断ったのか」

「勿論《もちろん》断った」

「それから君はどうしたかね？」

「何をする事があるだろう？　僕の薫さんに対する心持はそのまま永久に葬《ほうむ》り去られたのだ」

「陽の目を見ずに……」

「薫さんの訪問で陽がさしたと思ったのは勘違いだった」

「君はそれを何故《なぜ》書かないのだ。君の今の話だけでも話になっているじゃあないか」

「実は僕はこの話から二つの主題を見出《みいだ》している。それはその内短篇に書くつもりだが、今僕が話したような事をそのまま書けない気持は分るだろう？」

「分らないね」

「若しそのまま書くとすれば、とりもなおさず、それは薫さんに宛てた僕の恋文になって了うじゃないか。僕は今更薫さんに、そう云う恋文を書こうとは思わないよ」

私は不図、先刻《さっき》擦れちがった時の、女の人の、顰《しか》め面《つら》を憶《おも》い出した。

瑣《さ》事《じ》

京都まで金を取りに行く、――そう家《うち》には云ってある。が、それは嘘《うそ》だ。奈良の銀行に金は来ている。然《しか》しそう云って京都へ行く口実を彼は作らねばならなかった。――京都には妻に隠れて会いたい人間がいた。

俥《くるま》に乗って上高畑《かみたかばたけ》の友の家に行く。奈良の銀行は預金がなければとるのに保証人が要るかも知れぬという話で、その保証人に頼むつもりだった。

「直ぐ行くから先へ行ってたまえ。却々《なかなか》手間どるから」

友のKはあとからオートバイで行くと云い、彼は一ト足先へ出る。公園をぬけて行く。鹿が沢山遊んでいた。もう見物の人々でそこらは賑《にぎ》わっていた。下りで俥は気持よく三条通を走った。

「裏書きをして下さい。然し銀行渡しになっていますから、今直ぐと云うわけには行きませんよ」

そう云われた。

十時の汽車までに僅《わずか》しかなかった。Kが来た。

「実は今日T君が来るんだが……」彼は苦笑した。四十越した彼は女のためにこんなにして友を煩わし、京都からわざわざ出て来る友を承知で、尚《なお》出かけずにいられない自身を恥じる気持で弱った。皮肉を云う事の好きなKではあるが、Kがその時それを少しも出さないのを彼はありがたく思った。彼はその日女と約束をしていたわけではなかった。女は二十日《はつか》までは来るなと云っていた。彼はそれを女の一種のヴァニティーだと解していた。彼が来ない事を他人に云われた時、女は二十日まで来るなと自分が云ってある故《ゆえ》に来ないのだと云いたい為《た》めに、そんな事を云ったのだろうと解していた。実際彼は二十日までは出られそうもないと自身も思い、むこうも思っていた為めに、むこうはそう云い、彼もそれを承知したのである。然し、彼は二三日前からその人間に甚《ひど》く会いたくなった。夜不図眼を覚す。直ぐその人間の事が頭に飛びついて来る。そして離れない。彼は夜幾度《いくたび》か眼をさまし、その度、暫《しば》らくはねつかれずにいた。彼は二三日その寝不足から頭を疲らしていた。

とにかく、行こう。Tは十六七日に来ると云っていたのだが、彼は十六日とだけ聞き、昨日一日そのつもりで待っていた。そして来ないと分ってから十六七日と云っていたと云う事を聞き、今日でなければ十七日だと云う事を知ったが、心に決めた京都行きを一日延ばす事は気持の上で容易でなかった。

「どうしようかな」

「………」

「止《や》めよう」

「………」

Kは黙っている。Kはすすめもせず、止めもしない。しかも少しも冷淡でない事を彼は嬉《うれ》しく思った。

「金はあるかい？」彼は自分の財布が汽車賃だけもあやしく、むこうから借りて来るのも厭《いや》な気持から、そうKに訊《き》いた。

「ないな。……いや、あるかな」

Kはポケットから財布を出して調べた。十円札が四枚あった。彼はその三枚を取って、小切手をKに渡し、あとを頼んで俥に乗った。

木津《きづ》で牛乳を一トびん取って三分の一程飲んだ。彼は手帳を出し、その日明け方に見た夢をそれに書いた。子供らしい変な夢で、仕舞に赤い一団の炎が自分の懐《ふところ》に飛び込む所で驚いて身を反らし、（実際床の中で烈《はげ》しく身を反らして）眼を覚した。その夢を初めから書いた。一時間程かかった。

外国人が四人――その一人は女――が乗っていて、よく喋《しゃべ》り続けた。箱根宮の下の多分写真屋だろうと思う男が、それらの外国人に話しかけ、色々な事を説明していた。

京都で降りると彼は直ぐ東山の宿に行った。宿の女将《おかみ》は驚いたような顔をして、今朝、この長火鉢の傍《そば》に彼が坐っている夢を見た。朝の夢は当ると云うが不思議なものだと云いながら、起《た》ってその人の家《うち》に電話をかけた。

「嵯峨《さが》の？　ふん、嵯峨の何どす？　ツキキ亭？　ふーん。——電話の番号お知りしまへんか？　そうどっか……」

居ないという事が分ったが、彼は別に落胆もしなかった。電話を断《き》って、女将は火鉢の向うに坐り、煙管《きせる》を取り上げ、

「嵯峨のツキキ亭いうたら何処《どこ》やろ。あまり聞かん名やな」と云った。

「そりゃあ、奈良の月日亭《つきひてい》だろう」

「そやろか。——ああそうかも知れまへんえ」

女将は又起って電話をかけ直した。やはり奈良の月日亭だった。彼は笑った。無理算段をして来て見れば、行き違いに奈良にいっている事が腹から可笑《おか》しかった。

「〇〇さんとお客さんと九時十何分たらいうので行った、いうてどしたえ。てれこやな」女将もそれ程気の毒がる風はなかった。

「それは九時五十分発だ。僕は十時に奈良を出たのだ。君が夢を見てくれても肝心のお清《きよ》さんが見なければ何にもならない」

「ほんまにいいな。お門違《かどちが》いや」女将は甲高い声で笑った。彼も一緒に笑った。

「そんなら帰る」

「ほんまに、つまらん事どしたな。ほしたら何日《いつ》おいでやす」

「あした来よう」

「あした。きっと来ておくれやしゃ。やっぱり今頃どすか」

「今頃――若《も》しかしたら一寸《ちょっと》寄る所があるから三十分位遅れるかも知れない」

「……然し帰りは何時《いつ》になるやろな」

「今直ぐ電話をかけても五時でなくちゃ帰れないね」

「ふーん」

「奈良へ帰って電話をかけてやろうかな」

「男はんの声やったら、お清どんの事どすさかい、困らはるかもわかりまへんえ。誰ぞ女御《おなご》はんの声でかけてお貰《もら》いたらええ」

「そんな事、頼む奴はないよ」

　彼は直ぐ奈良へかえる事にした。そうすれば久しぶりで会うTともゆっくり会えるし、若し又道で一寸でもあの人間に会えれば自分は満足出来る気持になっていた。彼は自身が案外その女を愛している事を感じ、愉快に思った。

その家を出て、町で一寸買物をして、直ぐ京都駅から一時半の汽車にのった。汽車の中で読むつもりで買って来た飜訳本《ほんやくぼん》を読む。直ぐ睡《ねむ》くなって彼は眠った。長池《ながいけ》あたりで眼を覚す。同じ客車に六十近い半白の老人とその細君らしい二十三四の眉毛《まゆげ》を剃《そ》り落した女とがいた。その二人と彼と、他《ほか》に、片眼にすっかり繃帯《ほうたい》をした若い男とが居た。

細君は大柄な体格からいって、彼のお清に似ていた。然し印象的に来るその性質は全く異《ちが》って見えた。お清には男のような所があった。彼との関係で自身が冷淡であるという事を他《ひと》に見せたい気があった。自身は何とも思っていない。が、彼の方で自分を好いているのだ。こう云いたい気があった。「えらそうな顔して、すかんたらしい人やと思うた」こんな事を云った。「思うて、それでどうしたんだ」と彼が云うと、女は返事をしなかった。

彼は女の自分に対する言葉や動作を女の自分に対する気持と見るよりは女の性格として見る傾きがあった。これは彼が既に年寄らしい心境に入りかけた事を語るものだった。彼には或子供らしさも残っていたが、或事には自分でも思いがけなく年寄染《じ》みた余裕を持てる事がよくあった。彼は今年四十三歳だった。その女は今年二十歳《はたち》だった。然し外見は二十五六歳に見える女だった。

客車の中で見た女がお清とはかなり異《ちが》った態度でその年寄った男に対しているのを彼は興味を持って眺めていた。女の気持は絶えず老人の気持を追っていた。あたかも忠実な飼犬がその主人から眼を離さないように絶えず何らかの注意を払っていた。

彼の想像によれば老人は近く年寄った妻に亡《な》くなられた。そして老人は家《うち》にいた善良な若い女中と関係した。それが今の若い細君である。こんな事が考えられた。七分通りこの想像は当っていそうな気がした。

若い細君が頻《しき》りに何か話しかけるのに老人は言葉少《すくな》に応じながら、その眼で女をいたわっていた。細君は良人《おっと》としてよりも父として甘えるような気持を見せながら絶えず老人に注意していた。見て、いじらしい気がした。

奈良でその夫婦は降りた。彼は二人より先に改札口を出た。

停車場《ていしゃば》前の茶店から月日亭に電話をかけて見ようか、どうしようか、一寸彼は迷っていた。が、不図若しかしたらTがこの汽車で来はしまいかという気がしたので、其処《そこ》に立って出て来る人々を暫くながめていた。

彼方《むこう》からTがいつもの癖で幾らか身体《からだ》を左右に揺する加減にして人々の間を縫って来るのを見ると、彼はやはりその予感があったと思った。

二人は込み合う三条通を話しながら歩いた。彼は今日の京都行きを正直に云うのが面倒な気がした。それで、「一寸用があって……」とか、「銀行まで用があって」など曖昧《あいまい》に云った。

彼は歩きながら又、若しかしたらお清にも会うかも知れないと云う気がしていた。「近いのは此方《こっち》から行くのが近いんだが、真直ぐにいって見ようか。——それが一番分り易《やす》い道なんだ」彼がこの地に引き移って、Tは初めて来たのだ。

猿沢《さるさわ》の池から石子《いしこ》詰《づ》めの旧蹟《きゅうせき》と云う所を通り、一の鳥居の近くまで来ると、果して、彼はむこうから来る○○とお清とその客らしい男の姿を認めた。第一にお清がいつも見るとは遥《はる》かに醜い顔をしている事に一寸驚いた。変に角張った、ゆがんだような不愉快な顔をしていた。傘なしに西日を受けていた為《た》めかも知れないが、とにかくそれは醜い顔だった。道傍《みちばた》の鹿の角《つの》きりの玩具を売る大道店のその玩具を見ながら歩いている。

客は○○の関係者であろうと彼は思った。夏外套《がいとう》を着た若い男で、○○と何処か似た所のある顔をしていた。その客だけが見ている彼の方を一寸見たが、お清も○○も全く彼には気づかずにいた。彼と並んで歩いているTも何事も気づかぬ風だった。

彼は女が奈良に来た事に何かしら自分のいる土地故という気でもありそうな気がしていたが、お清のその顔を見ると、それが自分の馬鹿々々しいイリュージョンだという事を想《おも》わされた。お清に多少でも彼のいる土地という気があれば彼との僅か二三間のへだたりのこの擦違《すれちが》いを見逃す筈《はず》はないと思われた。お清にはそういう気はなかったのだと彼は思い、腹で苦笑した。が、それはお清の冷淡からか、それとも彼女の気持にデリカシーがない為めか、何《いず》れかと思った。両方だろう。少くとも冷淡ばかりではないだろうと考え、彼はひとり苦笑した。

然し如何《いか》に醜い顔にしろ、ささやかなるイリュージョンを破られたにしろ、彼は彼女に会ったという事だけで至極満足していた。

「此処《ここ》から曲って行こうか……」彼は現金に擦違うと直ぐ云った。そして一の鳥居から曲り、四季亭の下から、築土《ついじ》の塀について行く時には我ながら可笑しい程快活な気分になって、この間其処の鷺池《さぎいけ》で活動のロケーションがあり、強い若侍に投げ込まれた悪者の一人が本統に溺《おぼ》れかけた事を面白可笑しく話しながら歩いていた。

山《やま》科《しな》の記憶

一

山科《やましな》川の小さい流れについて来ると、月は高く、寒い風が刈田を渡って吹いた。彼は自動車の中でつけて来た巻煙草《まきたばこ》を吸い了《おわ》って捨てた。自家《うち》まで乗りつける事が気兼ねで大津《おおつ》への街道で降り、女はそのまま還《かえ》した。彼は歩きながら、今別れて来た女の事ばかり考えていた。愛する女の事を別れて考えるのは快楽だ。二重の快楽だが、家《うち》が近づき、妻に偽りを云わねばならぬという予想が起ると、それが暗い当惑となって彼におおい被《かぶ》さって来た。流れの彼方《むこう》に一軒建っている自家の灯《あかり》を見ると、彼はいつもこの当惑を覚えた。明かに自分が弱者の位置に立つ事が腹立たしくもあった。

彼は妻を愛した。他《ほか》の女を愛し始めても、妻に対する愛情は変らなかった。然《しか》し妻以外の女を愛するという事は彼では甚だ稀有《けう》な事であった。そしてこの稀有だという事が強い魅力となって、彼を惹《ひ》きつけた。その事が自身の停滞した生活気分に何か潑剌《はつらつ》とした生気を与えてくれるだろうというような事が思われるのだ。功利的な考ではあるが、一途《いちず》に悪くは解されない気がした。

彼は細い土橋を渡って、門を入った。門の戸に鈴が附いている。その音にも、自分の怯《ひ》けた心が現れる事を恐れた。彼は出来るだけ無心に開け、無心に閉めた。然し何がこんなに自分の心持を暗くするのだろう。自分を信じている妻を欺《あざむ》いている事が気になるからだ。

中の灯《ひ》を一杯に映した玄関の硝子戸《ガラスど》を開けた。いつも直ぐ出て来る妻が出て来ない。彼は更に敷台から其処《そこ》の障子を開けた。部屋の隅にあたかも投《ほう》り出された襤褸布《ぼろぎれ》のように不規則な形をして、妻が掻巻《かいまき》に包《くる》まり、小さくなって転がっていた。彼は妻のこんな様子を見た事がなかった。その変に惨《みじ》めな感じが、胸を打った。妻を自分はこんなに扱っているのだろうか。妻がこんなに扱われていると感じているのだろうか。その感じが胸を打った。妻は頭から被った掻巻の襟から、泣いたあとの片眼だけを出し、彼を睨《にら》んでいた。それは口惜《くや》しい笑いを含んだ眼だった。

彼は何も彼《か》も、もうわかったと思った。彼は興奮した。腹が立った。黙って妻の片眼を見返した。妻が何かいうまでは一ト言も口が利《き》けなかった。

彼は隣りの座敷に電燈をつけた。丸い金火鉢によく熾《おこ》った炭火が活《い》けてあった。鉄瓶の湯が滾《たぎ》っていた。

「どうも変だと思って、電話をかけて見たらやっぱりそうだった」

彼は返事をしなかった。彼は二重廻《にじゆうまわし》を着たまま火鉢の脇《わき》に踞《しやが》んだ。

「そんな事は決してないから……うまい事をいって、人をだまして……」いいながら妻は起きて座敷へ入って来た。彼は怒鳴りたい気になった。然し何といっていいかその言葉を見出《みいだ》せなかった。彼は嶮《けわ》しい眼で妻の顔を見た。妻は如何《いか》にも口惜しそうな笑い顔をしていた。が、それが異様な赤味を帯びているのを見ると、発熱しているに違いないと彼は思った。

「お前は熱があるぞ」彼は傍《そば》へ来て坐った妻の額へ手をやった。妻はその手を邪見に払いのけながら、

「熱なんかどうでもいいの」といった。

一寸《ちょっと》触っただけでも熱かった。彼は立って自分の寝床の上に置かれた丹前をとり、妻にきせた。

妻は一生懸命だった。日頃少しも強く光らない眼が光り、彼の眼を真正面《まとも》に見凝《みつ》めた。彼にはその視線に辟易《たじろ》ぐ気持があった。然し故意に此方《こっち》からも強く、

「お前の知った事ではないのだ。お前とは何も関係の無い事だ」と云った。

「何故《なぜ》？　一番関係のある事でしょう？　何故関係がないの？」

「知らずにいれば関係のない事だ。そういう者があったからって、お前に対する気持は少しも変りはしない」彼は自分のいう事が勝手である事は分っていた。然し既にそ

の女を愛している自身としては妻に対する愛情に変化のない事を喜ぶより仕方がなかった。

「そんなわけはない。そんなわけは決してありません。今まで一つだったものが二つに分れるんですもの。そっちへ行く気だけが、減るわけです」

「気持の上の事は数学とは別だ」

「いいえ、そんな筈《はず》、ないと思う」

妻はヒステリックになり、彼の手の甲をピシリピシリ打った。

彼は妻に対し毛程も不実な気持は持っていないという事を繰返した。

「不実な気持がなくて、そういう事が起る筈がないじゃありませんか」

然し彼は嘘《うそ》をいっているのではなかった。そして彼は何かいえば詭弁《きべん》を弄《ろう》するようになるのが自分でも不愉快になった。

「そういう感情まで一生飼殺しになってるわけにはいかない。只お前をその事で不幸にしなければいいのだ」

「こんな不幸な事ってない」どんな貧乏でもそんな事には堪えて見せる。然しこの事ばかりは何時《いつ》になっても決して平気にはなれない。

「いつも云ってる事じゃあ有りませんか。それを今更お前の不幸にならなければいい。

どの口でそんな事が仰有《おっしゃ》れるの」

　彼には女に対する自分の気持が本気だという所に弁解があった。が、妻には本気なら本気程いけなかった。何《ど》ういう事にでも、割に寛大になれる性質で、若《も》しかしたら自分のこの事にも寛大な気持を見せてくれるかも知れぬという朧《おぼろ》げな希望を彼は持った事もあるが、それは到底不可能な事と知れた。女に対する自分の気持を累々《るいるい》と述べ立てる事も不可能だった。そして妻のヒステリーが亢《こう》じると彼にはもう云う事はなかった。

二

　五分程黙った。二人には思い思いの事が浮んだ。彼には女の事が時々頭を通り過ぎて行った。

「去年病院にいた時にも、若し先生が好きになったら大変だ、そう考える方なのよ。本統に貴方《あなた》だけ想《おも》って満足しているのに……」妻は幾分落ちついたところで不図こんな事をいい出した。

「うん」彼は不思議な気持になった。妻の「先生」という、その若者を彼は明瞭《はっきり》と憶《おも》い浮べる事が出来た。「それは分っている。何とかいう医者だ。その事は一寸書いて置いた」

「………」妻は急に真面目《まじめ》な顔をして彼を凝《じ》っと見た。その妻の心持はよく摑《つか》めなかった。が、それに不純なもののない事だけははっきりと感じられた。

「何といったかね」

「……でも、それはお父様のお気持なんかとは全《まる》で別なものよ。それは認めて頂かなければ困るわ」

「俺の気持と別なものとは思わない。然しお前にいたずらな気持があったとは、それは決して思わない」

彼は起《た》って自分の机の上から一つの手帳を取った。「Aという女がある。良妻賢母である。然しこの女の一生で只一度、はっきりとは意識せぬ恋を感じ、心をときめかした事がある。それを良人《おっと》だけが感じた。それと相手の男だけが感じた。然し何事もなく、そういう機会もなく、そのままにそれは葬《ほうむ》り去られた。Aという女も今はその事をもう忘れている。Bという女がある。この女にも同じ事があった。然しBという女はその事を自ら意識さえしなかった」この場合、Bが妻だった。

「見て御覧。Aは○○さんだ」

妻は無心にそれを受け取ったが、見ようとしなかった。

「だけど、可笑《おか》しいわね」妻は自身の気持を調べるような眼つきをしながらいった。

「若し私に少しでも疚《やま》しい気持があれば、お父様に色々お話はしないわね」

実際彼が見舞に行く度に、妻は浮々した心持でその男の噂《うわさ》をした。

「それはそうだ」

「そうよ。私の心持は親切にして下さるのをお父様にも喜んで頂くつもりだったと思うわ」

「然し好きになったら大変だと思ったのはやはりあの医者じゃあないか。……俺はこれにも書いたように、それだけの意識さえお前にはないと思っていたのだ」

「………」

「四月十六日と日が入れてある、五、六、七、八、九、十、十一、十二、八カ月その事には少しも触れない位だから、俺は別に何とも思ってはしない。それもお前のその気持に少しでも不愉快な要素があれば、却々《なかなか》黙ってはいられない方だが、そうは思わなかった。俺は少しも嫉妬《しっと》らしい気持は持たなかった。寧《むし》ろ何だかお前が可哀想《かわいそう》なような気がした。お前の気持がそういうものだという事はよく分っていた。病院を出る時でも、お前はガーゼの取りかえに通うというのを、その位の事なら此処《ここ》の××さんで充分だと、俺もいうし、□子さんもいうんだが、お前は却々諾《き》かなかった」

妻は遮《さえぎ》っていった。

「それは違います。我孫子《あびこ》の○○さんの事を考えていたから、××さんの所も何だかきたないいように思ったのです。折角よくなって又黴菌《ばいきん》でも入ったら大変だと思って、そう云ったのよ。そんな事まで変におとりになるのは、それは少し酷《ひど》いわ」

「まあ事実は何方《どっち》だか知らないが、□子さんもそう解《と》っていたと思う。いやな顔をして俺の顔を見ていた。余りいうのは此方《こっち》も厭《いや》だから、お前の勝手にするようにいったが、俺はお前が意識せずにそういう気持に支配されてると解ったのだ」

「そうかしら、——私はそう思わないけど……」

「俺がそう思うばかりでなく、むこうの人もそれは意識していたと思う」

「そんなら、何故、病院に通う事をはっきり不可《いけない》と云って下さらなかったの。私にはそういう気持はなかったと思うけど、貴方が若しそうお思いになったのなら、何故はっきり止めて下さらないの。それはお父様がいけませんよ」

「お前が間違いを起す人間とは第一思わないし、それでなくても、そういう事を用心しなければならぬまでにはまだ、大変距離のある事が分っていたんだ。自分がそういう事に暢気《のんき》でいられる人間でない事だって、一つの安心の種だし、それだけの事で余り強く何かいうのは厭な気がしていたに違いない」

彼はこんな事をいいながら自分の気持が、その事に案外余裕を持っていた事を今更に気づいた。それは妻の気持の純粋さが彼に反映していたからだと思った。

若い医者は生々した気持のいい男だった。彼は殆《ほとん》ど口を利いた事はなかったが、少しも悪い感情を持たなかった。彼が妻の病室に入って行くと、よく入れ違いに急いで出て行った。そういう時、妻は殊《こと》に快活だった。或時、一番下の娘が病院に泊り、夜中に急に自家に帰るとあばれ出した時、妻が自動車で、それを連れて不意に帰って来た事がある。翌朝《よくちょう》の診察時間までにかえるならばといって、それを許したのはその若い医者だった。妻は医者に冷かされた事をいって笑っていた。そして翌朝早く又自動車で還っていった。彼はその医者にいたずらな気持があるとは思わなかった。然し妻の気持に対し自分がそれに意識的である程度にはその医者も意識的であったような気がした。

退院の時、尚《なお》外来で通うかどうか迷っていたが、結局妻は厭な顔をしながら山科の医者にガーゼの取り更《か》えをして貰う事に決めた。そして翌日《よくじつ》その医者へ行くと、案外清潔だったので、そう決めた事を喜んだ。

三

話が妻の事に外《そ》れた事は幸だった。妻は落ついた。然しそれが彼の事に対する少しでも寛大な心持をひき出す手《た》よりにはならなかった。妻はどうしても女と別れる事を彼に断言さすまでは執拗《しつよう》に我《が》を張った。妻の強いのはこの事だけだ。

彼は一時的にもそれを承知するより仕方がなかった。

痴情

一

薄曇りのした寒い日だった。彼は寒さから軽い頭痛を感じながら、甚《ひど》く沈んだ気分で書斎に閉じこもっていた。時々むこうの山の見えなくなる程雪が降って来た。庭じゅう池になっている、その池水に雪はどんどん降り込んで消えた。硝子戸《ガラスど》と障子の硝子越しに彼はぼんやり眺めていた。雪は少時《しばらく》すると止《や》んだ、止んだかと思うと、急に青い空が見えた。此処《ここ》もまた山国のうちだと彼は思った。

それはそうと、この事をどう処置すべきか彼は却々《なかなか》決められなかった。自分が女を念《おも》い断《き》る事が出来ればそれに越した事はないが、それはいやだった。妻に云われて念い断るという事が既にいやなのだ。女の方には執着はないのだから、或時、自分の執着さえなくなるなら、素直に別れてもいいが、今、この心持を殺し、別れるのは如何《いか》にも無理往生で、その気になれなかった。仮りにそう決心したところが、実行のあてはなかった。それにしろ、このまま再び妻を欺《あざむ》き続けるのも不愉快だし、残るところは妻がその事に寛大になってくれる事だが、これは前の二つにも増し、不可能な事と知れていた。彼にとってこの事が可能でさえあれば申分ない。前夜万一の望みをかけ、一寸《ちよつと》きり出して見たが、思いもよらぬ空想だと直ぐ知れた。

妻は今日中に総《すべ》てを片づけてくれと云っている。妻は真剣だ。彼は真剣さで妻と争う事は出来なかった。彼は自分が案外この事に真剣だと云う事を感じているが、妻のそれとは一緒にならなかった。

何《いず》れにしろ、形式的にも一時別れるより仕方ないと決心したが、妻が金で済む事だと云い、彼には嫌味に、女に対しては軽蔑《けいべつ》を示したのが、一寸腹に据えかねた。冷やかに云えばそれに違いない。他人の場合なら、自分もそれをいうかも知れない。然《しか》しその云い草が日頃の妻らしくないと彼は腹を立てたのだ。妻は裏切られ、欺かれたと云う事で心が一杯なのだという事はよく分っていたが、彼はそれで我慢する気にはなれなかった。

彼は女を愛し始めてからも妻に対する気持を少しも変えなかった。寧《むし》ろ欺いているという苛責《かしやく》の念から、潤《うるお》いある気持を続けて来たが、総てがこう露《あら》わになると、それさえ白け、乾いて来るよう感じた。これだけの事で、直ぐそう、――一時的にしろ変る自分が腑甲斐《ふがい》なく思われるのだ。

女と云うのは祇園《ぎおん》の茶屋の仲居だった。二十《はたち》か二十一の大柄な女で、精神的な何ものをも持たぬ、男のような女だった。彼はこういう女に何故《なぜ》これ程惹《ひ》かれるか、自分でも不思議だった。彼の好みの中《うち》にこういう型の女がない事はない。然しこれ程心を惹かれるというのは全く思いがけなかった。

女には彼の妻では疾《とう》の昔失われた新鮮な果物の味があった。それから子供の息吹と同じ匂《にお》いのする息吹があった。北国《ほっこく》の海で捕れる蟹《かに》の鋏《はさみ》の中の肉があった。これらが総て官能的な魅力だけだという点、下等な感じもするが、所謂放蕩《いわゆるほうとう》を超え、絶えず惹かれる気持を感じている以上、彼は猶且《なおか》つ恋愛と思うより仕方なかった。そして彼はその内に美しさを感じ、醜い事をも醜いとは感じなかった。

彼が独り、不愉快な顔をしているところに、亢奮《こうふん》に疲れ、疲れながら尚《なお》亢奮している彼の妻が入って来た。

二

「銀行おそくならないこと？」

「おそくなったら、あしたでもいいじゃないか」

「それはいや。どうしても今日片をつけて下さらなければ……。一日延びればそれだけ私の苦しみが延びるんですもの。……それより一日でも貴方《あなた》を自分のものだなんて思わして置くの、いやな事だ。一時過ぎたのよ。私も支度しますから、直ぐお支度して頂戴《ちょうだい》」

「お前はよす方がいい」

「いいえ、私、とても自家《うち》で凝《じ》っとしていられない」

「熱があるじゃないか」

「病気になってもいいの。病気になって死んだら、貴方も本望でしょう？」

彼は上眼使いに少時《しばらく》睨《にら》んでいた。

「笑談《じょうだん》にしろ、ものの軽重《けいじゅう》を弁《わきま》えない事をいうのはよせ」

「軽重って、貴方にはこれがそれ程軽い事なの？」

「死ぬの生きるの云う問題じゃない」

「そうかしら」

「馬鹿だけが一緒にするのだ」

「でも私では一緒にならないとはかぎりませんよ」

妻の言葉は妻として必ずしも誇張とのみ云えない事は知っていたが、彼はやはり腹を立てた。

「強迫するのか。そんな事で人の行為を封じようとするのは下等だぞ」

妻は黙っていた。彼は口から出るまま、毒のある言葉を吐いた。

妻は顔色を変え、凝っと彼を見ていたが仕舞にその眼を落すと、溜息《ためいき》をつくように、

「貴方は本統に勝手な方ねえ」と云った。

「初《はじめ》から勝手なんだ」

「初から勝手は分っているけれど、御自分が散々《さんざん》人をだまして置いて、それが分ったからって、強迫するだの、下等だの、よく平気でそんな事が仰有《おっしゃ》れるわね。他人の事を批評なさる時は随分抜け目なく突込んで、御自分の事だと、それが全《まる》で異《ちが》って了《しま》うのね。どういうわけ？　子供が嘘《うそ》を云ったりすると、厳格過ぎる程お叱《しか》りになる方が、御自分の嘘はそう気にならないと見えるのね」

「本統を云ってよければ何時《いつ》でも云う。嘘を云うのはいやなんだ。お前がそれに堪えられるなら何時でも本統を云ってやる」

「貴方は自棄《やけ》になっていらっしゃるの？　お変りになったものね」

彼は不愉快で仕方がなかった。もう口をきくのがいやだった。

「だから、もういい事よ。何も彼《か》も昨晩本統の事を云って下すったんでしょう？　もう何も隠していらっしゃる事ないんでしょう？　それでいい事よ。それで、どうぞこれからの事を堅くお約束して頂戴。もう決してそう云う事をしないと、――それを私に信じさせて下さい。今までの事私も忘れますから、それだけ信じさせて下さい。

……ええ？　どうなの？」

「それは分らない。ないつもりの事が起ったんだから、今後とても請け合えない」

妻は急に亢奮して叫んだ。

「それじゃあ私、生きていられない」

「生きていられなければどうするんだ」

「それは自殺もしまいけど、きっと自然に死ぬような事になる。きっとそうなるに決っている」

妻がこの調子ではとにかく、女とは一時別れるより仕方ないと思うと、彼はその事でも苛々《いらいら》した。

三

一時間程して、二人が京都東山三条で電車を下りた時には大きな牡丹雪《ぼたんゆき》が気持のいい程盛んに降っていた。山科《やましな》を出る時、陽を見て傘を用意しなかった二人は頭や肩にそれを浴びながら、見る見る白くなって行く往来に首をちぢめて立っていた。

「一時間か、一時間半したら還《かえ》る。お前はKの所で待っているのだ。なるべく落ちついていないと見っともないよ」

妻は黙って彼の眼を見ていた。

「寒いから早く行くといい。着物は充分着ているね」

妻はうなずいた。

「——それじゃあ」

彼は妻に別れ、僅《わずか》な道程《みち》なので、込んだ電車よりは歩く方がよく、往来を越して、煙草《たばこ》を買いに入った。そして再び其処《そこ》を出ようとすると、胸や髪に一ぱい雪をつけた妻が二間程離れた所に立ち、泣き出しそうな顔で何か小声で云っていた。妻は一と晩の間に眼に見えて衰えて了った。そして彼から近寄って行くと、妻は片方の肩の上へ首を傾け、哀願するように、

「ねえ、いいこと? ねえ、いいこと?」と云った。

「もう、よろしい。雪の中にいつまでも立っていると本統に病気になる」

妻は漸《ようや》く還って行った。厚いショールから出ている引詰《ひきつめ》に結った小さな頭の遠去かって行くのを見ると、如何にも見すぼらしく、哀れに思えた。

彼はいつも会う、その宿へ入って行った。暗い茶の間の長火鉢に坐った女将《おかみ》は、「まあ、えらい雪どすなあ」と云い、さも無精たらしく、猫のような感じで起《た》って来た。

「少し用があるから、一人で来るよう。直ぐ」

女将はそのよう電話をかけた。

女は珍しく直ぐ来た。そして彼がその事を云い出すと、当惑したよう黙っていたが、仕舞に「かなわんわ」と云った。芸者達から祝物を貰《もら》ってある、それをこう早く別れねばならぬのが「かなわん」と云うのだ。理由は明瞭《はっきり》していた。そしてその理由で女は実際困るらしかった。女は泣き出した。

「何も発表する必要はないじゃないか」

「直ぐ知れるわ」

「何処《どこ》か遠くへ行ったとしてもいいだろう」

京都に居て、此処へ来ない自信を彼は持てなかった。実際、何処かへ行くのもいいと思った。それを云うと、

「それかて、かなわんわ」と、女は泣いたあとの憂鬱《ゆううつ》な鈍い顔を的《あて》もなく窓の方に向け、ぼんやりしていた。

彼は女の大きな重い身体《からだ》を膝《ひざ》の上に抱き上げてやった。女の口は涙で塩からかった。彼は前夜やはり妻の口の塩からかった事を憶《おも》い、二人のそう云う人間を持つ事が如何にも自分らしくないと思った。

間もなく彼は払うべき金を払い、渡すべき金を渡し、その家を出た。戸外《そと》では未《ま》だ雪が少しずつ落ちていた。

Kの家《うち》は東山三条を西へ入った大きな寺の境内にあった。その裏門を入ろうとすると、出会頭《であいがしら》に妻と会った。

「凝っとしてお話しているのがつらいの」妻は弁解するように云い、彼の眼を見ながら、「もう何も彼も、すっかり済んだのね」と云った。

「うむ」彼はうなずいたが、うなずき方の弱いのが自分で気になった。

表面は何も彼も、もう済んだ筈《はず》である。が、彼の心持は少しも片づいていなかった。彼は今も女から、遠くへ行く前一度来てくれといわれ、曖昧《あいまい》な返事をして来た。然し自身には女と別れる気は全くなかった。ない癖に妻の言葉通り何も彼も済まして来たのだ。彼は妻を欺く代りに仮りに自分を欺いている。自分を欺いていないとすれば、そんな風にして再び妻を欺き、女をも欺いたのだ。何《いず》れにもせよ、彼には家庭の調子を全く破壊してまで正面からこの事に当ろうという気はなかった。それに価《あたい》する事柄とは思わなかった。女は最初幾らか彼を嫌っていたが、今は嫌っていない程度で、妻に云われるまでもなく、女には一つの商売に過ぎない事と分っていた。女のこの気持は彼には愉快でなかったが、その世界ではそれが道徳であり、仮りに女が彼を本統に愛していたとしてもこの気持を完全に超えさす事は出来ない事だった。

それにしろ、彼は一人でいる時も、人といる時も頭から女を完全に離しきる事はなかった。これが何かの意味で平穏に帰してくれるまでは彼は女と別れる気にはなれなかった。

その日彼は妻と町を歩き、夜になって山科の家《うち》に帰って来た。妻はその晩から病気になった。熱のある身体で出たのが悪かった。

四

妻の病気は風邪だが、却々《なかなか》直らなかった。

「すっかり済んで了ったのね。もう安心していていいのね」

こんな事を云われると、彼は当惑した。そしてそれに応ずる言葉で慰めはするが、その云い方がはればれしなかった。妻がそれと信じたがっていると尚《なお》はればれ云いにくかった。

或時は又こんな風に云う。「つまり家庭の病気みたようなものね。直ればもう何にも残らないわね。……だけど、この病気の方が余っぽど寿命が縮まりますよ」

「病気と云う以上、又かからないとは限らない」彼は笑談にして答える。この方が寧ろ云いよかった。

とにかく、彼は早く何処かへ行き度《た》かった。丁度東京へ行く用があったが、妻の病気は妙に執拗《しつこ》く、却々出掛けられなかった。病気そのものよりは衰弱が甚しく、妻は絶えず幾らか亢奮していた。いつもめり込むように見えていた蒲鉾型《かまぼこがた》の指環が手を下げると自然に指から抜け落ちたりした。

以下は、それから間もなく、上京した彼が受け取った妻の手紙である。

御無事御暮《おくらし》の御事と存じ升《ます》。御上京後毎日の様に雪ふりにて大へん御寒う御座いますが、お神経痛は如何《いかが》で御出《おい》で遊ばされますか。〇〇様の御容体如何《いかが》やと御案じ申上て居り升。そちら皆々様も御きげんよく入《い》らせられます御事と存じ升。カラスミの御礼申上戴《いただ》きたく、御文《おんふみ》したためる筈で御座いますが、どうも只今手紙かくのがつろう御座いますから、くれぐれもよろしく御申上戴き升。御出立の時は私の相変らずから御気をそこね御ゆるし戴き升。私はその事では少しもひかん致しませんでしたが、その日はやはり気持悪く床に居りました。只今もずい分ずい分淋しい気持になりましたので一人涙が出ますので御文したためました。おかきものの御さまたげしてはいけませんと思い、ずい分ずい分こらえて居るので御座いますが自分の胸もずい分つろう御座いますので、またくだらぬ事をかきます。一人淋しくなりますとあの事を思出し涙ぐみます。もうもうすぎた事だからと思いながら、こだわりて仕方が御座いません。どうしても、ようきの気持になれません。ほんとにもう一生のうちにこういうつらい思いをどうぞさせないで戴き升。お猿もとうとう死にました。今もかなしくてかなしくてたまりません。もうほんとにあなたを信じさせて戴き升。ほんとにほんとに信じて信じていてこんな事がありましたので御座いますから、此後《このご》はほんとに内しょでもいやで御座い升。私の我まま斗《ばかり》申上まして御気におさわりになりますかもしれませんが私の胸の苦しみ出しまして御願い申上升。私はあなたに大切の人だと御中戴いて、こんなにひかんしてはもったいないので御座いますが、一途《いちず》に思いますので其《その》方《ほう》より一方の事を思出してかなしくなり升。どうぞどうぞ委《くわ》しく御返事を頂いて私の安心出来る様にさして戴き升。

毎日御いそがしく、またおかきものでおつむり御つかいの事と御察し申上升。どうぞ十分御からだ御気をつけ遊ばされ升《ま》す様、御風邪召しません様、少しでもお神経痛の方おわるかったら函根《はこね》に御養生に御出遊《おいであそ》ばします様願上升。御はかまを忘れましたので御送り申上ましたが御うけとり戴きました事と存じ升。夜分は別にこわい事も御座いません。子供たち元気に致して居り升から御安心願上升。しじゅう泣いて斗《ばかり》もおりません。時々しずみこみますといろいろ思出してなみだが出るので御座い升。自分でも一生懸命に気持をかえ様と思って居り升。自分はあなたに大切にして戴き、何がおこってもふわんの気持になる事ないので御座いますが、それは私の我ままでどうしても私一人でなければ神経がおさまらないので御座います。あなたの御気持を御察ししないで自分の事斗かいたのはほんとに御ゆるし御ゆるし戴き升。これだけくだらぬ事を申上ましたら胸の苦しいのが楽になりました。皆々様にくれぐれもよろしく。

彼が外出から帰り、この手紙を見ている時、電報が来た。「オカエリネガウ」――妻がいよいよ堪《こら》えきれなくなった気持が彼には明瞭《はっきり》うかんだ。彼は妻がこれ以上我慢しようとしなかったのは幸だったと云う気がした。用は少しも片づいていなかったが、直ぐ帰る事にした。

「病気でも悪いのかしら？」

「私が道楽したんです」

母はそれには答えなかった。そして「直ぐ帰るといいね」と云った。

彼は二十分程で支度し、漸《よう》や《ようや》く最後の急行に間に合った。

晩秋

一

彼には郁子《いくこ》の心が動揺している事はよく解《わか》った。七条の停車場《ていしゃば》まで送って来た井浪《いなみ》の女将《おかみ》や池野のお勝《かつ》を相手に普段と余り変らず、話しているのが、如何《いか》にもつらそうだった。その年の五月に生れた赤児《あかご》は白い毛糸の肩掛から一寸《ちよつと》頭を見せ、女中の胸でよく眠入《ねい》っている。三人の女の児達は久しぶりの上京の嬉《うれ》しさからしきりにはしゃぎ、待合室のソーファからソーファと移り歩き、人中を関《かま》わず遠くから「お母様。お母様」と呼びかけた。井浪の女将はその度青白い神経質な顔を笑いくずして受けていた。時には子供達の所まで行って相手になった。井浪の女将は郁子をその子供時代から知っていた。その郁子が今は四人の子供を引き連れている。それが可笑《おか》しいといって笑った。井浪はそんな風に何気なくしていたが、後で彼が郁子から聞いた話によると、井浪もその時腹では幾らか興奮していたに違いない。

その芸子時代から三十年余り、其処《そこ》を離れた事のない祇園《ぎおん》の土地で、彼が放蕩《ほうとう》をしている、そしてそれを今まで少しも知らずにいたと云う事は自分の商売柄から云っても、郁子の実家との古い関係からいっても、井浪には心外な事に違いなかった。

彼は洋画家の鳥山《とりやま》と話していたが、気持はやはり落ちつかなかった。もう執着はない。このまま続けて行ったところで、新しく生れる気持はなく、不快な事だけが積み残されて行く関係ではもう一度郁子を欺《あざむ》き、それを続ける気はなかった。勿論《もちろん》今日お清《きよ》に会おうなどとは少しも考えなかったが、二三日前、鳥山が池野のお勝を連れ、奈良の彼の家《うち》に遊びに来た時、上京の途《みち》、京都で又会おうというような話から、早めに奈良を出、家族は縄手《なわて》の井浪に届け、自分だけ鳥山の宿である池野へ行って見た。が、鳥山は岡崎の展覧会場から未《ま》だ帰っていず、留守だった。彼はそのまま近い所を又井浪へ引きかえして来たが、間もなく池野のお勝が二三日前の礼がてら、鳥山が会場の帰り、絵かき仲間と他《た》へ食事に廻った事を知らせに来た。

汽車の時間まで三時間近くあった。彼は食事の用意を頼み、それが来るまで一寸歩いて来ようなど考えていると、鳥山から電話がかかった。

「花見小路で会おうか。——都合が悪いかい?」

「いや、別に悪い事もないが……」こういいながら彼は迷った。何も彼《か》も片づいた筈《はず》の場所へ一寸でも又行くという事は執着はないつもりでも幾らかの魅力はあった。然し同時にそれが漸《よう》く安心を得ている郁子の心にどれだけ響くかを考えると彼は躊躇《ちゅうちょ》しないではいられなかった。

「どうする？　池野で会おうか」

「飯を未だ食っていないんだ」

「それじゃあ、花見小路の方へ行かないか」

「うん。そうしよう」

要するに彼は一ト月程見ないお清が見たかった。それと一つは別れたといって現金に其処へ近よる事を避ける行為が自分でも堅苦しい感じでいやだった。

「鳥山とは他《ほか》で会うからね。飯はそっちで食う。それから汽車の時間、間違わないようにね」

「もう此処《ここ》へはお寄りにならないの？」

「寄らずに直ぐ停車場へ行く」

郁子は大概察したらしかったが、露骨にはそれを現さなかった。彼は余り時間がなかったから急いで身支度を仕た。それが嬉々《きき》として出て行くよう見えては困ると云う気をしながら。

「鳥山さんお出《いで》しまへんの、あんたはんおいでやすか」お勝はそんな事をいい、玄関まで彼を送って来た。行く先きは知っているらしかった。

花見小路の茶屋ではもう鳥山が待っていた。大きな一閑張《いっかんば》りの食卓を間にしてお清が坐っている。彼は幾らかぎごちない気持だった。鳥山は済んでいたから、彼だけ食事をした。彼はいつものように鳥山と楽に話す事が出来なかった。主《おも》に鳥山とお清とが話した。

彼の書いた「瑣事《さじ》」と云う小説でお清に使った名が、偶然鳥山が一二年前に執着した芸子の名になっていた。その話から鳥山は、

「此奴《こいつ》怪しからん奴だと思ったよ」とお清をかえりみた。

お清は顔を赤くして笑った。

「本名で書くと思うのは暢気《のんき》だな」

「うむ」鳥山も笑っていたが、嫉妬《しっと》というものはそういうものだと彼は自分でも思った。殆《ほとん》ど執着は消えたつもりでも、これからもこの家《うち》に若《も》し来るとすれば、恐らく自分は色々な事で嫉妬を感ずるかも知れないと思った。そして嫉妬でも感ずるようなら、それも面白そうな気がした。

時間が来たので彼は送るという鳥山と一緒に自動車で停車場へ向った。

二

三月程前東京から老父が丁度暑中休暇になった彼の小さい妹二人を連れ、初めての

男の児の孫を見る為《た》め奈良に遊びに来た。彼はそれまでに雑誌社と約束の仕事を片づけて置くつもりだったが、却々《なかなか》出来ず、父達が来て既に締切日も過ぎ、毎日のように催促されたが、まだ出来なかった。短いもので、調子よく行けば一ト晩で書ける事もあるので、それを的《あて》に一日延ばしに延ばしていたが、それがうまく行かなかった。老父は気にして自分達が来た為め、仕事が出来なくては気の毒だと思うらしかった。然し彼にすれば気の毒がらしては気の毒だと思うのであった。

法隆寺見物の日、彼の父は「お前はやめたらどうだ」と云った。「少しもかまいません」そして、彼は自分が書けないのは父達が居るからではなく、毎時《いつも》の事なのだと云った。

「いよいよ駄目なら、原稿はあるんです」

それは五月頃書いて、材料の都合から、本の間に挿《はさ》み、本函《ほんばこ》の奥に投げ込んで置いた原稿だった。お清に会いに行くと、入れ違いに奈良に客と遊びに行っていない、それで彼は直ぐ帰って、せめて往来ででも会えたら会いたいと思い、一の鳥居の近くまで来ると、客と芸子とお清とが彼方《むこう》から来るのに会った。二間程のへだたりで擦違《すれちが》ったのだが、お清は気づかず、西日を受けて、変に醜い顔をしたまま行って了《しま》った。然し彼はそれでも満足し、快活な気分になった。——二時間程で走り書きにした至極無造作なものではあるが、作品として出来栄えは嫌いでなかった。

然し彼は出さずに済めば出したくなかった。彼は明け方、隣の牧場から配達の車が何台も出て行くのを聴きながら、書いていたが、いよいよ翌日には間に合わないと決ったので仕方なく、前の走り書きの原稿の清書に取りかかった。

清書して見て、彼は余り面白い作品とは思えなくなった。家庭に波瀾《はらん》を起してまで出すのは馬鹿々々しいような気になった。その張合いもないものだった。然し其処まで締切を引張っては雑誌社の方を断る事は出来なかった。それに遂《つい》に出来なかったと云うのは父にも何か気の毒な気がした。彼は上高畑《かみたかばたけ》の友を訪ね、読んで貰《もら》った。そして友がつまらないと云えばよすつもりだったが、友は、「この前のよりいいように思う」と云った。彼は出す事に決めた。

Trifles of life と云うような言葉が浮んだので、彼はそのまま「瑣事」と題したが、それは書かれた事柄が瑣事であるというよりはこの小説の為め郁子と物議を起した場合、要するに trifles of life ではないか、という意味を云う自身が想《おも》い浮んだからである。

それが郁子にとって瑣事でない事はよく分っていたが、今は遅かれ早かれ埒《らち》のあく問題だったたから、彼は郁子にもなるべく軽くそう思って貰いたかったのだ。

お清に対しては彼は気持の上の責任は殆ど感じなかった。執着は彼の方からだけでお清にその気持はなかったからである。物足らなくもあり、気楽でもあった。物足らぬが故《ゆえ》に焦《あせ》るという気にはなれなかった。そして自身の執着も風邪のように一ト通りの経過をとれば自然、元の状態に還《かえ》るという風に考えるのであった。彼にとって真実なものは現在の自分の執着している心持だけだった。これは自分でも動かし難《がた》いものだった。が、同時にそれも自然の経過をとれば（お清という女が対手《あいて》の場合では）遅かれ早かれ平静に還る事が分っていると、自分の気持は出来るだけ静かに干渉しないで置いて貰いたかった。こういう主我的な考え方がいいか悪いかは知らないが、彼が彼自身を処理する上にはそれが一番近路《ちかみち》な方法であった。

「とにかく、出来た」

彼は原稿を懐《ふところ》にし、急ぎ足で還って来ると、老父の起きたあとの座敷を掃除していた郁子と顔を見合せ、幾らかひけた気持を感じながら云った。

「そう?」郁子は晴々した顔つきをした。「貴方《あなた》のはおかかりになれば出来る癖に、それまでが大変なんだから」

「今度はかかっていて出来なかったんだ。仕方ないから前に書いたものを清書した」

「でも、よかったわ。お父様が気にしていらっしゃるようで気が気じゃなかった」

郁子は直ぐ箒《ほうき》を置くとそれを云いに茶の間の方へ行った。

「小説首尾よく出来上りましたそうで、どうぞ御安心遊ばして……」切口上でこんな事をいい、父や妹達を笑わしていた。

父は読まないが、妹達は読むかも知れない。郁子の上機嫌が後で妹達の前に顔を赧《あか》らめねばならぬ事になっては可哀想《かわいそう》だと彼は思った。彼は座敷に待っていていった。

「今度の小説はお前には不愉快な材料だからね」

郁子は一寸暗い顔をした。然し思い返したように、

「いいわ」と云った。「もう何も彼も済んで了《しま》ったんだから……」

「見ない方がいいよ」

「見ない事よ。気持を悪くするだけ損ですもの。見ない事よ」と繰返して云った。

実はその年二月にお清には別れた事になっていた。それ以来彼は郁子を欺き続けて来たのだ。

京都から雑誌社の人が原稿を取りに来た時、彼は、

「新聞広告はなるべく内容を暗示しないようにして下さい」と云った。

正直という事は物事を簡潔にしてくれる意味だけでも彼は好きな方であるが、この事はそう簡単には行かなかった。郁子が独り苦しむのを見るのは堪えられなかった。

郁子の周囲の女の人達までが、同じ気持から、この事に一切触れないようにしていた。彼のわがまま勝手な性質をよく知っている点からも。

間もなく父達は帰京し、暫《しばら》くすると、その雑誌が届いたが、彼は直ぐその部分だけ截《き》り取って仕舞い込んだ。然し郁子は雑誌を手にしないばかりでなく、言葉でも一切それには触れようとしなかった。

二カ月程経《た》った。或日郁子宛に或劇団の下端《したっぱ》の女優である千代子から手紙が来た。千代子というのは四五年前、作家志望で山陰の或町から、一年余り彼の所に来ていた事のある娘だった。然し来た目的から云えば何の為《た》めに来たか分らない程、彼とは没交渉な関係で、只家事を手伝っていたが、何時《いつ》か作家志望は捨てて、今は女優になっている。善良な堅人《かたじん》で、遠慮深い形式家だったが、田舎の人に時にあるような思いがけない脱線をした。彼から云えばこれもその脱線の一つであるが、千代子は郁子に宛てた手紙に「お好きな方が出来て、時々京都へお出かけになると云うのは本統で厶《ござ》いますか」と書いて来た。「小説の事本統で厶いますか」ならば未だ曖昧《あいまい》にする余地もあったが、こう明《あか》ら様では彼はどうする事も出来なかった。

三

今度は郁子も余りくどくどは云わなかった。それだけ一方白けた気持もあったに違いない。良人《おっと》を信じていなければならない。良人の言葉を疑うのは不快《いや》だ。自分のこういう心持をそのまま、利用して、十月《とつき》余りうまうま自分を欺いていた。日頃立派な口を利《き》いている割にそういう事が平気なのはどう云うのだろう、こんな事を思うらしかった。

「それにしても、T代子さんは何の気であんな事を書いて来たんでしょう」郁子はそれを不愉快がっていた。

「善意も悪意もない、只御機嫌伺い位の気持だろう、一ト言にいえば田舎っぺえなんだ。若し都会人であゝ書いて来たんなら何か下心があるが、あれはそうじゃない。然し二年近くも一緒に住んでいたら、もう少しは通じていそうなものだがな」

彼は事柄が明ら様になったことでは、それ程困らなかった。自分の気持が自発的に其処《そこ》までは未だ少し行き切らない気もしたが、仕方がなかった。郁子が若しもう二三カ月それを知らずにいてくれたら彼はもっと素直に自然に別れるというその気持に落ちつけたかも知れなかった。それを云うと、「実に貴方は自分本位な方ね」と郁子は云う。

「実際、理窟《りくつ》には合わないよ。一種の暴君で自分でも不愉快なんだ」

「全く暴君よ、貴方は何でも堪《こら》えると云う事が少しもお出来にならないんだから。他《ほか》の事はそれでもいいけど、——此方《こっち》で堪えるからいいけど、——その事だけは此方で堪えているというわけに行かない事ですからね。それで困るのよ」

「つまり隠すというような事になるんだ」

「それが厭《いや》じゃありませんか。自家《うち》にいても何か一つ始終隠していなければならない、それじゃあお気持が晴れ晴れ出来ないでしょう？　私には到底それは出来ない。若しそんな事でもあれば苦しくって苦しくって直ぐ神経衰弱になるか、気違いになるかも知れない。貴方はそういう事、割に平気でいらっしゃるわね」

「割に平気かも知れない。——然し暗い気持はしている」

「もう本統にこれからそう云う事ないように出来ないこと？」

「…………」

「返事がお出来にならないの？」

「うん出来ない」

「いやな方ねえ」郁子は不愉快そうな顔をして黙って了った。それが彼には「貴方のお身体《からだ》きたないような気がするわ」とでも続いて来そうに思えた。

一週間程して彼は京都へ行った。そして会って彼は相不変《あいかわらず》のお清だと思った。いつも来る芸子も、宿の女将も相不変だった。如何《いか》にもこう云う事を商売に暮している人間違だと云う気がした。彼にとってこの気持はこの時にかぎった事ではないが、今日もまたそれを感ずると、いやな事を云い出すには弱々しい気分にならず、却《かえ》っていいと思った。

　お清は最初只笑って聴いていたが、仕舞に少し興奮した調子で、

「とにかくおうちの奥さんは人並はずれて悋気《りんき》深《ぶこ》うおすな。何どすいな。月に三遍か四遍おいでやす位。おうちの御商売にさわると云うではなし。あんたはんも余程やな……」こんな事を云い出した。

「今もいう通り、何も自家《うち》の者の意志だけで云ってるわけじゃないよ」

「ふーん。よう分ってます。よう分ってるが、あんたはんも余っ程なお方やな」

「余っぽど、どうなんだ」

「奥さんに甘うおすな」

「奥さんばかりじゃない。女には生れつき甘く出来てるんだ」

「ほんまに甘うおすな」

「甘いのはいいじゃないか」

「いかんわ」

じめじめされるよりはまヽしヽだった。

そしてこれがお清の本音なのだと彼は思った。

お清は黙った。そして時々「ああ可笑《おか》しい」こんな事を云っては殊更笑声《ことさらわらいごえ》をたて、しきりに彼に軽蔑《けいべつ》を示していた。彼は相手にならなかった。

やがてお清は静かになった。食卓に両臂《りょうひじ》を突き、指先で茶托《ちゃたく》を廻しながら何か考えている風だったが、暫くすると、不図、

「割が悪いわ」と云った。

「何が割が悪い」

お清は初めて自分のひとり言に気がついたように淋しそうな眼つきで微笑した。

彼は一寸不思議な気がした。何が割が悪いのか押して訊《き》いたがお清は返事をしなかった。

若しお清自身の気持と云うものが幾らかでもあれば、このように全然発言権を与えない自分のやり方は少しひど過ぎるかしらと彼は思った。そう云う意味でならお清が割が悪いと思うのは無理ないと思った。然し彼の癖として、自分の方からは如何に女に甘くとも、又甘いと思われても困らないが、女の自分に対する気持を甘く解する事は恐れていた。殊にお清との場合では、先方《むこう》はどうでもいい、此方《こっち》からは好きなのだ、

この考が最初から彼に附きまとっていた。それが一番真実に近いらしくも思われたし、且《か》つ若《も》しそれ以上を要求すれば、彼は直ぐお清に無いものまでも望み、不愉快になる事が分っていたからである。好きなのは此方からだけだ、――そう思っていれば不服はなかったが、先方も好きなのだと思えばお清では恐らく腹の立つ事ばかりだった。

結局割が悪いという言葉はそのままになったが、お清はそんな事を云っても彼は又還って来るに違いない、――若し又還って来なければ来なくてもいいと思うらしかった。お清は他《ほか》の事でも、面倒臭くなると、直ぐそう荒く考える方だった。

そして、実際一ト月程して、彼は鳥山に呼ばれたからではあるが、今日此方から又お清の所に出かけて行ったわけだ。

四

秋らしい冷々した晩だったが、それにしても郁子は寒そうな変に血の気のない顔色をしていた。彼は汽車に乗ったら、余りにも何でもなかった今日の会見を此方から云う方がいいと思った。

今度の上京は彼の三番目の妹がその夏に結婚し、それが暑い盛りだったから披露は秋に延ばした。それに立ち会う為めで郁子も子供等も前から非常に楽しみにしていた。

そしてそういう旅の出鼻に今日の事では、早くそれを云い合い、気持を直して了わなければ、郁子も可哀想だった。

「千枚漬はどうした？」

「お浪さんの所へ取って貰いました」

「七つあるね」

「六つきり取りませんよ」

「七つなければ足りないだろう」

「四円のを入れたから、一つ減らして丁度いいでしょう」

「まあいいや。何か他の物を廻せばいい」

こんな事でも彼は自分の思惑と違うと却々《なかなか》我慢しない方だったが、今は愚図々々云う気になれなかった。

改札を始めたので一同歩廊《ほろう》に出た。間もなく列車がつき、彼等は皆《みんな》と別れた。

汽車が出ると郁子の張りつめていた気持は急にゆるんだ。

「お母様、お母様、お姉ちゃん、時やと代って貰って上へ一人で寝ちゃあいけない？ええ、いけない？」

「いけません」

「千鶴子《ちずこ》、一人で下に寝るう」二番目がいった。

「皆、そんな勝手な事をいっちゃ、いや。そんな事をいう人は奈良へ還して一人でお留守番させることよ」郁子は苛々《いらいら》していた。

　大津を出る頃にはどうかこうか、皆寝台におさまって絵本などを見ていた。

「千鶴子がお姉さんの横腹《よこっぱら》を蹴《け》る」時々こんな事も云っていたが、暫くすると眠って了った。

　郁子は赤児を寝せつけ、胸を合せながら出て来た。その顔は如何にも神経が疲れ切ったというように見えた。

「ちょっと」彼は寝台から足を下すと、下駄を穿《は》き、郁子の為めに半分席を空けてやった。

「お前は今日行った事を気にしているのか」

「いいえ」

「何故《なぜ》そんな弱った顔をしているんだ」

「もう、すっかり疲れたの」

「不愉快を感じるような事は何にもないからね」

「ええ、それはいいんですけど、浪が心配して色々いってくれるんで、——もう、済んだ事で、よく分っているのだと云っても、自分がきっと突きとめて、よくするからって、興奮して震えているのよ。親切で云ってくれるんだから、大変ありがたいんですけど、二人だけの事にそう他人に入られると何だか恥のようでいやでしょう？」

「うむ」

「お浪さん本統に心配しないで頂戴《ちょうだい》、と云っても一人でムキになってるの。池野の女将さんが自分だけ何でも知ってるような顔をしながら、それを浪に教えないらしいの。それで尚《なお》、腹が立つのかも知れないんですが、却って心配して下さらない方がいいってよく云って来たんですけど、そう云う口があるから、鰻《うなぎ》でも食べないと弱ってるようで変でしょう？　実は何にも食べたくなかったの。それを我慢して無理に漸《ようや》く半分だけ食べて来た。——二時間か三時間だったけど、今日は何だか、すっかり疲れちまいましたわ」

「もう、それでいいや。東京へ行けば皆いるし、気が変るよ」

「ええ、でも、麻布《あざぶ》の方《かた》がお書きになった物を御覧になって知っていらっしゃると思うと、いやあね」

「知っていたって誰もそんな事に触れる奴はないよ」

「そりゃあ、そうよ。——でも、私お母様ならお話してもいいけど……」

「馬鹿。そんな事、云う必要はない」

彼は笑った。汽車は安土《あづち》あたりを走っていた。

志賀直哉の生活と芸術

阿川弘之

大正の初年、志賀直哉が未《ま》だ三十一、二歳の頃、夏目《なつめ》漱石《そうせき》の門下で直哉の資質を大変高く評価している人が二人あった。一人は和辻哲郎《わつじてつろう》、もう一人は芥川龍之介《あくたがわりゅうのすけ》、その話から始めようと思う。

芥川がある時、

「志賀さんの文章みたいなのは、書きたくても書けない。どうしたらああいう文章が書けるんでしょうね」

と、師の漱石に訊《たず》ねた。

「文章を書こうと思わずに、思うまま書くからああいう風に書けるんだろう。俺《おれ》もああいうのは書けない」

漱石はそう答えたという。


同じ時期、和辻哲郎が、東京市外大井町《おおいまち》の志賀直哉の仮寓《かぐう》近くに住んでいた。始終往《ゆ》き来があり、直哉は尾道《おのみち》や城崎《きのさき》で見たもののことを、よく和辻に話して聞かせたらしい。その語り口があまりにヴィヴィッドなのに、和辻は驚いた。漱石を愛読し直哉を愛読し、自身も作家志望だった和辻が、それをあきらめ、専《もっぱ》ら学問の道へ進むようになる原因の一つは、あれほどの事物描写の能力を自分は持ち合せていないと悟ったためだと言われている。

二つのエピソードは、志賀作品の魅力の本質を解き明していると同時に、小説家志賀直哉の、ある意味での弱点も暗示しているかに思われる。「思うまま書く」志賀流は、見方を変えれば「極めて我儘《わがまま》な書き方」ということで、分り易《やす》くとか、読者のためにとか、新聞雑誌の約束事にしたがってとか、その種の配慮を、直哉は生涯《しょうがい》を通じてほとんど払っていない。外部から何かの制約が加《くわ》わると、書けなくなるか、書いて失敗するかのどちらかであった。ある事柄《ことがら》に関し、これは説明を添えておかないともはや一般読者に通じにくいかも知れぬ、しかし説明すれば全体の調子が弱くなる、そういう場合、迷わず、説明しない方を取った。それ故《ゆえ》、「暗夜行路」の中にも、今では何のことか、研究家ですら分らなくなってしまった表現がいくつかある。

調査考証を必要とする歴史小説なども、直哉の気質に合わなかった。徳川家康の長子信康とその母築山《つきやま》殿を主人公にした少し長いものを書いてみようと思い立ち、一時資料集めまでしたことがあるが、結局書かずに終っている。その代り、——と言うべきか、自分のほんとうに興味をいだいた対象は、ありありとかたちを眼《め》に浮かべ、出来るだけ言葉を節し、強く簡潔に、非常なあざやかさで描き出す。和辻芥川が感服したのも、宮本百合子《みやもとゆりこ》が「志賀さんの作品は活字が立っている」と評したのも、そこのところであろう。

小説家が原稿の書き直しをすると、多少とも枚数が増えるのが常なのに、志賀直哉は書き直す度枚数が減ったという伝説がある。多分事実で、説明を避け、対象にじかに迫った的確な描出をしようとすれば、どうしてもそうなるらしかった。

人のものを読んで、直哉は時々、

「その場面をはっきり頭に浮かべないで書いてるね」

と不服を言った。少々極端な例だが、例えば某流行作家の風俗小説で、男と女が、線路をへだてた向うのプラットフォームとこちらのプラットフォームに立ち、別れの言葉を交している。かなりの大声を出さなくてはお互い聞き取れない状況であるにもかかわらず、作者は平気で、二人に普通の会話をさせている。こういう垂れ流しのような叙述は、自分の場合として考えたら到底我慢出来ないし、やれないたちであった。

読者は、それと正反対の、明晰《めいせき》で美しくリアリスティックな情景描写を、「暗夜行路」の尾道の場面、大山《だいせん》の場面その他に、たくさん見出《みいだ》すはずである。だが、はっきり頭に浮かべて書く、説明せずに描写する、ダラダラになりそうな文章をきちんと立て直すというのは、実のところ想像以上のむつかしい作業であって、志賀直哉の才能を以《もっ》てしてもやはり苦しかった。「苦しいからつい怠けることになるね」と自分で述懐している通り、直哉の生涯には、数年間にわたって全く筆を執らなかった時期が何度かあり、仕事の総量は少い。長篇《ちょうへん》は「暗夜行路」一作しか無い。唯一《ゆいいつ》のその長篇も、雑誌「改造」に連載を始めてから同誌上で完結するまで、前後十七年を要している。フランス文学者の辰野隆《たつのゆたか》は、直哉の文学をバルザックなどとおよそ対照的なものだと言い、滴々としたたり落ちる岩清水に喩《たと》えたことがあった。

かと言って、その作品群を、一刀三拝鏤骨《るこつ》彫心の末に成ったきびしく近寄りがたい孤高の芸術のように思うとすれば、それも亦《また》誤解であろう。人にのびのびとした爽《さわや》かな読後感を与える一筆描《ひとふでが》きのような小品が少くないし、ユーモラスなものもずいぶんある。うしろに一本強い倫理的なすじが通っているのは事実だが、その倫理性潔癖性が、堅苦しく硬直したかたちで作品の上にあらわれることは、まず無かった。草花や動物や虫や、総じて自然が好きだったが、同じように、人間の生き方としても、自然なのを一番よしとしていた。

志賀直哉は明治十六年（一八八三）の二月、宮城県の石巻《いしのまき》で生れた。そのため、国語教科書の作者紹介欄などに「宮城県の人」と書かれることがあるが、これは必ずしも妥当でない。父直温《なおはる》が若い銀行員として石巻在勤中たまたまその地で生れただけで、物心つかぬ満二歳の時父母と共に東京へ移り、その後幼稚園も小中学校高等学校（学習院）の教育も東京で受け、大学（東京帝国大学文科大学）中退までずっと東京で育つのだから、むしろ東京山の手出身の作家と見ておいた方がいいだろう。ただし志賀家自体は、こんにちの福島県相馬《そうま》地方の出で、祖父直道《なおみち》の時まで代々相馬藩六万石の家老職をつとめていた。

志賀文学の大きなテーマの一つは、父と子の不和である。ある時期には父親が息子の死を願い、息子は父を殺すことを考えるほどの激しい葛藤《かっとう》が繰返された。原因は多岐にわたっているけれど、複雑な部分を全部飛ばして言えば、幼少年期の直哉がじいさんばあさん子だった点に帰着するだろう。石巻から東京へ帰って来た幼い一人っ子の直哉は、志賀家の大事な跡とりとして、祖父母の部屋へ引き取られ、祖母留女《るめ》の盲目的愛情を受けて育った。直哉の方も、こよなく祖母を愛し、祖母に我儘放題を言って大きくなる。古武士の風格を持つ祖父に対しても、尊敬の念と共に深い愛情をいだいていた。一方、実の母親は直哉が十二の年に亡《な》くなり、父親との関係は疎遠《そえん》になりがちで、したしみは薄く、長ずるにつれ、ものの考え方の上にも大きな差異が生じて来る。父直温は、銀行を辞めたあと実業家を志して、明治大正の財界に地歩を築き巨富を成した人である。文学になぞ関心は無く、家の資産をつくり上げ、子々孫々にそれを伝え残し、一家一族の繁栄をはかるのを生き甲斐《がい》としていた。それに反し息子は、財産の恩恵には充分浴しながら、金に執着する父の生き方を嫌《きら》っていた。結局は、正面切って対立せざるを得ない運命であった。

「大津順吉」「和解」「或《あ》る男、其《その》姉の死」の三部作は、いずれも此《こ》の、父子の争いを主題としたものであり、「暗夜行路」もある意味で（成立の過程から見て）その系列に属する作品である。

「白樺《しらかば》」が創刊されたのは明治四十三年、直哉が父親と不仲のまま麻布の父の家に部屋住みだった時期にあたる。発足当時の「白樺」には、後年言われるような「白樺の人道主義」とか「白樺派の運動」とか、一つの主義主張を表に掲げる空気は無かった。直哉も武者小路《むしゃのこうじ》実篤《さねあつ》も、木下利《きのしたり》玄《げん》、柳宗悦《やなぎむねよし》、里見《さとみ》弴《とん》らも、めいめい自分勝手に書きたいものを書いて、誰《だれ》からも一切拘束されず、自由に発表し発言する、そのための同人雑誌発刊であった。これを足がかりに文壇へ打って出ようという気も、全くと言っていいほど無かった。同人全員に共通していたものありとすれば、芸術に対する、とりわけ西欧の新しい芸術に対する信仰に近い情熱だけであったろう。

しかし、創刊後何年か経《た》つと、主として武者小路実篤の強い個性の影響を受けて、「白樺」がいわゆる人道主義的傾向を帯びて来るのは事実である。直哉は、一つの旗じるしを掲げたものには、何事によらずついて行けない性格であった。「白樺」の傾向に対する不満、父親との不和、両方が原因で東京を離れることになる。

最初尾道での自炊生活、次いで松江《まつえ》や大山での独り暮し、京都に住んでいた大正三年の末結婚するが、そのあとも、赤城《あかぎ》、我孫子《あびこ》、京都、奈良と、景色のいい静かな土地を選ぶようにして田舎暮しをつづけ、五十代の半ばになるまで東京へ帰住しなかった。これら各地での生活経験が無ければ、「暗夜行路」の尾道の名描写も、「焚火《たきび》」も「濠端《ほりばた》の住まい」も「日曜日」も生れて来なかったわけだが、新進作家として認められて間もなく中央から離れてしまった文士というのは、当時珍しかった。

父親との和解が成立し、中篇「和解」が出来上るのは、大正六年、我孫子に住んでいる時で、直哉は満三十四歳であった。その少し前から、直哉の気持が動より静へ、対立より調和へと、微妙な変化を見せていた。美術に対する好みでも、西欧のもの一点張りだったのが、東洋の墨絵とか、仏像仏画の名品に心惹《ひ》かれるようになって来た。

そのことが、父親との関係にもよき影響を及ぼし、十七、八年にわたった父子の不和が解けるのだが、一方、作品の上に、東洋風の静かな風格となってあらわれて来る。「濁った頭」とか「范《はん》の犯罪」とか、若い頃の刺戟《しげき》の強いどぎつい作風は次第に影をひそめ、「雪の遠足」「転生《てんせい》」「豊年虫」「菰野《こもの》」「池の縁」のような、随筆との境界の定《さだ》かでないものが多くなる。大正十二年から昭和十三年まで十五年間の関西暮しは、東洋美術仏教美術のよきものに接する一層の機会と便宜とを直哉に与えた。ゾルゲ事件に連座した尾崎秀実《おざきほつみ》が、獄中で直哉の短篇集「早春」（昭和十七年刊）を読み、「志賀さんの小説は和菓子の味がする」と言ったそうだが、日本敗戦後、直哉晩年の「和菓子」風味の代表を挙げるとすれば、「山鳩《やまばと》」と「朝顔」であろう。文芸評論家の中には、直哉がフィクショナルなものを書かなくなったのを以て、作家的才能の枯渇《こかつ》と見、戦後の文筆活動など一切認めようとしない人があるが、河盛好蔵《かわもりよしぞう》はそれを短見としてしりぞけ、「山鳩」や「朝顔」のような作品は、ゲーテ晩年の短章と同じく、長く人々に親しまれるものになるだろうと言っている。作者自身の書いたものでは、随筆の一節に次の数行がある。

「私が一生懸命に団子を作っている所へ来て、

『シチューを呉《く》れ、シチューを』

他人はこんな事をいう。

『お生憎様《あいにく》』」

直哉は青年時代、七年間内村鑑三《うちむらかんぞう》のもとへ通って聖書とキリストの教とに接した。しかし、そのもとを去って以後、生涯特定の宗教を持たなかった。「正しきものを憧《あこが》れ、不正虚偽を憎む気持を先生によってひき出された事は実にありがたい事に感じている」と、鑑三の思い出を語っているけれど、それ以上の、キリスト教の影響らしきものは、生活の上にも作品の上にも残らなかった。ただ、柳宗悦が晩年、「白樺の仲間で最も宗教的なのは誰か」と人に聞かれて、即座に「それは志賀だ」と答えている。柳は直哉の中に、既成宗教の教義と別の、ある敬虔《けいけん》なものが生きていると見たのであろう。直哉本人も、「簡単なことで言えば小さな虫なんか殺すのが大変いやになって来たのだが、そういう一種宗教的と言ってもいいような気分は、年と共に段々強くなる」と、これをほぼ認めていた。それでいて、無神論者であった。昭和四十六年の十月、八十八歳で亡くなった時、葬義は直哉の遺志により無宗教で行われた。ついでながら、「作家は作品がすべて」という直哉平素の考え方にしたがって、「志賀直哉を偲《しの》ぶ会」とか「直哉忌」とか、そのようなものは孫子の代まで一切行わない申し合せになっている。文学碑も、生前建てられてしまった分は止《や》むを得ないが、新たに作りたいとの申し出があっても、遺族の方でお断りすることに決めてある。

志賀直哉夫人康子《さだこ》は、勘解由小路《かでのこうじ》資承《すけこと》という公家《くげ》の娘で、武者小路実篤の従妹《いとこ》にあたる。癇癪《かんしやく》持ちの夫によく仕え、よく尽し、のべつがみがみ言われながら陰鬱《いんうつ》なところは少しも無く、明るく気品があって、六人の子供（ほかに二人夭折《ようせつ》）をのびやかに育て、直哉の家庭を知る文学者たちの間で、「無形文化財」とか「日本三名夫人の一人」とか言われていた。夫人の面影《おもかげ》を伝える作品は、結婚の事情のうかがえるものとして「くもり日」、新婚後間もなくの山での生活を描いた「焚火」、ユーモラスなもので「転生」、その他「山科《やましな》の記憶」「痴情」「朝昼晩」「予定日」「夫婦」等々数が多い。

直哉に九年おくれて昭和五十五年一月、満九十歳で亡くなった。夫婦の墓は、東京青山の志賀家累代《るいだい》の墓所の中にある。

直哉は文芸評論の類《にぐい》にあまり興味が無かった。大正の末、作家としての力倆《りきりよう》の最も充実していた頃、

「批評家からは讃《ほ》められるにしろ、けなされるにしろ時々実に思いがけない事を云われる。自分は今居る批評家が批評家というものなら、どうも要らざるものがあるよう

な気がして仕方がない」

と書き残しているし、此の見方考え方は終生変らなかった。その意味で、世に汗牛《かんぎゅう》充棟《じゅうとう》ただならぬ志賀直哉論の類は、読んでも、それで以て直哉が分ったことにはならないかも知れない。此の作家の生活と芸術と人間像とをもっと深く知りたいと思う読者があるなら、やはり、岩波書店刊行の、断簡零墨まで集めた全十五巻別巻（志賀直哉宛《あて》書簡）一巻の全集に、直接あたってみることをおすすめしたい。

（平成元年七月、作家）

『小僧の神様・城の崎にて』について

高田瑞穂

志賀直哉は大正二年十二月、武者小路《むしやのこうじ》実篤《さねあつ》の従妹《いとこ》康子《さだこ》と結婚して京都市外衣笠《きぬがさ》村に住んだ。結婚は青春時代の終結である。この時、直哉は三十二歳であった。祖母の愛情につつまれた直哉の青春は、遅く始まり、遅く終ったようである。そしてこの結婚は父の反対をおし切って敢行された。思えば長い父との不和であった。中学生の頃、渡良瀬川《わたらせがわ》鉱毒事件について父と対立したのは明治三十四年、それから数えて既に十四年、康子との結婚は、こういう父子の対立を一つの極限に駆り立てた。直哉が自ら進んで父の家から除籍され、別の一家を創設したのは大正四年のことであった。青春期のそれとは異った反抗であった。試行の時は漸《ようや》く終ろうとしていた。

これより先大正元年秋、尾道に在った直哉は大作『時任謙作《ときとう》』に取りかかった。三年の夏までかかって遂《つい》に物にならなかったこの作品が、後に『暗夜行路』に変貌《へんぼう》大成したことは周知の通りであるが、ここでは、その直哉の努力が、やがて自己の生の過渡に臆《おく》せず直面しようとした決意の現れであったことに留意したい。もう一つ重要なことは、そこに夏目漱石の慫慂《しょうよう》が加わったことである。『白樺《しらかば》』派にとって日本に現存する唯一《ゆいいつ》の師漱石から、朝日新聞に連載小説の執筆をすすめられたのは大正二年の暮のことであった。直哉は『時任謙作』をもって漱石の期待に答えようとした。既に尾道から帰京していた直哉の上に、内外から激しい動揺の落ちかかったのは、ちょうどこの前後であった。三年から四年にかけて、直哉は転々とその居を移した。大森から松江へ、松江から京都へ、京都から鎌倉へ、鎌倉から赤城《あかぎ》へ、赤城から我孫子《あびこ》へ――まことに目まぐるしい彷徨《ほうこう》であった。当然、『時任謙作』の執筆は意の如《ごと》く進まなかった。初期の直哉はそうではなかった。青春の心は、自在な彷徨によってかえって生の充実を生んだ。しかし、この時はそう行かなかった。直哉は、三年七月、松江から上京して漱石を訪ね、執筆を謝絶しなければならなかった。直哉における生の転機であった。転機はしばしば反動とともに来る。大正三年から六年に及ぶ最初の空白期が直哉に落ちた。その間、五年の十二月に、漱石が歿《ぼっ》した。直哉に一つの解放感が生じた。四年にわたる沈黙を破って創意は再び動き、『佐々木の場合』を亡《な》き漱石に献じた時から、直哉の第二期が始まった。その第二期からここに十八編を選んだ。

作品名	執筆年月	発表誌（紙）・発表年月
佐々木の場合	大正六・四	『黒潮』大正六・六
城の崎にて	大正六・四	『白樺』大正六・五
好人物の夫婦	大正六・七	『新潮』大正六・八
赤西蠣太《あかにしかきた》	大正六・八	『新小説』大正六・九
十一月三日午後の事	大正七・一一	『新潮』大正八・一
流行感冒	大正八・三	『白樺』大正八・四
小僧の神様	大正八・一二	『白樺』大正九・一
雪の日	大正九・二	『読売新聞』大正九・二
焚火《たきび》	大正九・三	『改造』大正九・四
真鶴《まなづる》	大正九・八	『中央公論』大正九・九
雨蛙《あまがえる》	大正一二・一二	『中央公論』大正一三・一
転生	大正一三・三	『文藝春秋』大正一三・三
濠端《ほりばた》の住まい	大正一三・一〇	『不二』大正一四・一
冬の往来	大正一三・一二	『改造』大正一四・一
瑣事《さじ》	大正一四・五	『改造』大正一四・九

山科《やましな》の記憶　大正一四・一二　『改造』大正一五・一
痴情　大正一五・三　『改造』大正一五・四
晩秋　大正一五・七　『文藝春秋』大正一五・九

既に青春期の動蕩《どうとう》を過ぎ、反動期の沈黙を経て展開されたものが、作家直哉の成熟期であることは言うまでもない。総じて直哉における第一期から第二期への移行は、動から静へ、反抗から和解へであった。その口火を切った『佐々木の場合』に感得されるものも一つの余裕である。「会えばどうにかなる」と信じつつも、昔の恋人と自分との間をへだてる道義の壁の前に立ち止まるのが『佐々木の場合』である。彼はその壁に向って我武者羅に突き当ろうとはしない。そしてそういう自分の歯がゆさを、その友に書き送るのである。

『城の崎にて』については、改めて解説の必要もあるまい。ただ一つ、言っておきたいことは、作者の目の清澄《せいちょう》さの性格についてである。第一期の直哉の目も清澄であった。心の生動――それはしばしば反抗であった――の高まりにつれて、直哉の目の清澄度も増した。直哉に固有の資質であった。しかし『城の崎にて』の場合はちがう。一旦死と直面した後の直哉の心は「近年になく静まって、落ちついたいい気持がしていた」のである。その心の静止が、ここでは直哉に透徹した凝視を可能にした。『好人物の夫婦』は、直哉自身による自己の内的展開の肯定である。「深い秋の静かな晩だった。沼の上を雁《がん》が啼《な》いて通る」という書き出しは、我孫子での生活の静けさを思わせる。そういう静けさの中にあった『好人物の夫婦』の家に、女中の妊娠という出来事が起る。しかし、良人《おっと》が率直に「今度の場合、それは俺じゃあない」と言うと、細君は「ありがとう」と答えて泣く。その温かい涙が危機を洗い去る。

「メーテルリンクの『智慧《ちえ》と運命』に感心し、愚かさから来る誤解や意地張りで悲劇を作る事が如何《いか》に下らないかという事を思い、それから救われた場合の一つとしてこの小説を書いた。『智慧と運命』は永い間よくなかった父との関係にも大変よく働いた」(『創作余談』)

『和解』(大正六年九月)を生む有力な契機がここにあった。しかしそれは、渠成《きよ》って水到《いた》る、自然な展開であった。

『赤西蠣太』の明るさもまた、運命を愛するもののそれであった。『和解』の書かれたことをもふくめて、大正六年は、直哉の成熟期の出発点にふさわしい、実り多き一年であった。

『十一月三日午後の事』に一瞬燃え上った興奮は、直哉の生涯に在り続けたに違いないものの一端の暗示であった。反抗から和解へと成長して行ったにしても、直哉は常に直哉であった。

『流行感冒』にもそのことは明らかである。主人公は何かというとむっとして、「馬鹿」「黙れ」と怒鳴る。それでいてそういう自分の前にうなだれ涙するものに対して、いつも「気の毒だ」「残酷過ぎた」と思う。「誤解や曲解から悲劇を起すのは何より馬鹿気た事だと思っていた」にもかかわらず、「実行ではそのまるで反対の愚《ぐ》をしている。これはどういう事だ」と自分に腹を立てる。この気持は『山科の記憶』一系の作品につながる。

『小僧の神様』は、志賀直哉を「小説の神様」と呼ばしめる一因であった。その円満具足した姿は、古美術品のように美しく不動である。直哉の心は、生動しつつ静かであった。末尾の付記の最後に、「ところが、その番地には人の住いがなくて、小さい稲荷の祠《ほこら》があった。小僧はびっくりした。——とこう云う風に書こうと思った。然しそう書く事は小僧に対し少し惨酷《ざんこく》な気がして来た。それ故《ゆえ》作者は前の所で擱筆《かくひつ》する事にした」と記されているところは、直哉における美的関心と人間的関心との微妙な関連の暗示である。直哉は美的ではあり得ても耽美派《たんびは》ではなかったのである。

『雪の日』は、『我孫子日誌』と副題された作品で、この日の翌日のことを書いた

『雪の遠足』（昭和三年）に直接つながってゆく。

「時々窓をあけて見る。雪は止《や》んだ。星が出ている。ランプの光で見ると、前の梅の枝に積った雪が非常に美しかった」

これは『雪の日』の結びである。それを受けて『雪の遠足』は、次のことばで始まる。

「寝坊をして十一時になった。雪のあしたには珍しい薄曇りの日だ。雪は枝の先にはもう無かった」

前後の連《つらな》りに寸分の隙《すき》もなかったけれども、その間に九年間の時が過ぎていた。直哉の印象の、時を越えた澄明度を思わないわけにはゆかない。

『焚火』は、短い赤城生活の描写である。後半に、母と子の魂の不思議な交流がKさんの口を通して語られる。東洋的神秘の影が、極めて自然に、肯定的に描出されている点で、この作品はしばしば問題とされた。直哉には偶然ということに寄せる関心がもともとあったけれども、これは単なる偶然ともちがう。そして神秘の肯定がその目を乱すかわりに、一層その清澄度を高めているところに、円熟した直哉の心を見ていいであろう。この期における東洋古美術への関心の高まりも、このことと無関係ではなかったであろう。

『真鶴』も、美しい短編である。「伊豆半島の年の暮だ。日が入って風物総《すべ》てが青味を帯びて見られる頃だった」という書き出しが、既に象徴的風韻を伝える。自分の子供の頃の記憶と、軽便鉄道の中から見た真鶴の兄弟の子供との融合が、なぜこれほど自然に可能であり得たか。作家の心の生動とは、時に時空を越え、自他を同ずる力なのであろうか。それでいて、描出された伊豆の自然は、いかにも静かである。

『雨蛙』は、『暗夜行路』後編との関連において興味深い作品である。『暗夜行路』後編で「細君の不義で苦しむ事を書くつもりだったので、これは又その反対にその事で妻を一層いつくしむ気持になる事」(『創作余談』)を書いた作品である。私は先に『赤西蠣太』について運命を愛するものの明るさがあると記した。『雨蛙』もそうである。不義を冒した妻を、その故にかえっていとおしむ夫は、運命を愛することによって生の悲劇をまぬがれたのである。

『転生』について直哉は「気軽な戯作《げさく》。その頃のゴシップ雑誌『文藝春秋』に夫婦和合の妙薬を私のところで売るという冗談が出ていたので、この雑誌から原稿を頼まれた時、こんなものを書いたが、或る程度の愛着は持っている」(『創作余談』)と言う。夫婦関係においても円熟した直哉の手に成る、これはたしかに「和合の妙薬」であった。細君に食われた良人と良人を食べた細君とは、たしかに和合したのであった。

『濠端の住まい』は松江生活の記録であるが、実質は、鳰鳥《におどり》・家守《やもり》・木の葉蛙・鶏・猫等の生き物の描写である。「生き物を書く事が好きで」(『創作余談』)とことわられるまでもなく、その描写自身が生き物であった。捕えられて明日は殺される猫の鳴き声の描写に徴してもそのことに誤りはない。

『冬の往来』は、小説家中津栄之助の語る奇妙な恋の物語である。年上の未亡人を恋した中津は、その未亡人に娘を貰《もら》ってくれと言われて断る。そして中津の思いは永久に葬《ほうむ》り去られたのであった。全体としての印象は『佐々木の場合』に近い。

『瑣事』『山科の記憶』『痴情』『晩秋』は、一連の作品である。大正十四年、明けて四十三歳になって間もない頃、直哉夫妻の間に悶着《もんちゃく》が起った。直哉が、二十そこその祇園《ぎおん》の茶屋の仲居と密《ひそ》かに通じていたことが原因であった。「この一連の材料は私には稀有《けう》のものであるが、これをまともに扱う興味はなく、この事が如何《いか》に家庭に反映したかという方に本気なものがあり、その方に心を惹《ひ》かれて書いた」(『続創作余談』)それがこの四つの作品である。出来事の順を追って作品をたどると、最初に来るのは『山科の記憶』である。月の明るい一夜、家の近くまで女に送られて帰宅した「彼」を待ち受けていたものは、事態を初めて知った妻の惨《みじ》めな姿であった。「妻は頭から被った掻巻《かいまき》の襟から、泣いたあとの片眼だけを出し、彼を睨《にら》んでいた。

それは口惜《くや》しい笑いを含んだ眼だった」

重苦しい悶着の始まりである。しかし、それでいてこの描写の何という端麗さであろう。女と別れることを強要された「彼」は、妻の「寛大な気持」を期待することの不可能を悟り、「一時的にもそれを承知するより仕方がなかった」。ここまでが『山科の記憶』である。それを受けて、その翌日、雪の降る寒い日、「今日中に総て片づけて」という妻と二人で京都に出て、女に手切れの金を渡す前後を描いたのが『痴情』である。この出来事の実体に一番深く触れているのはこの作品である。

「女には彼の妻では疾《と》うの昔失われた新鮮な果物の味があった。（略）北国《ほっこく》の海で捕れる蟹《かに》の鋏《はさみ》の中の肉があった」

女は、「精神的な何ものをも持たぬ」存在であった。

三番目にくる『瑣事』は、「京都まで金を取りに行く、――そう家《うち》には云ってある。が、それは嘘《うそ》だ」ということばに始まる。既に一家は山科から奈良に移っていた。その間、引き続いて妻をあざむき続けた「彼」の体験した一瑣事の表現がこの作品である。しかし、それが一瑣事であり得たのは、「彼」の気持にある落着きが生じていたからである。そして最後に『晩秋』がくる。そこでは、もう一度「彼」の京都通いが暴露する。「彼」と妻との間に、次のような会話が交される。

「実に貴方《あなた》は自分本位な方ね」

「実際、理窟《りくつ》には合わないよ。一種の暴君で自分でも不愉快なんだ」

「彼」の心はもう、始めからそう考えていた通り、次第に冷却しつつあった。官能の刺激の常であった。「十月《とつき》余りうまうま自分を欺いていた」そう思うと妻の心は騒いだが、それも『山科の記憶』に生々しいものとは異っていた。あの早春の日から、既に今は『晩秋』であった。間もなく「彼」は、妹の結婚披露の宴に加わるために一家を挙げて上京する。その車中の会話は、明らかに悶着の終結を告げていた。「私お母様ならお話してもいいけど……」という妻に対して、「彼」はこう答える。

「『馬鹿。そんな事、云う必要はない』

彼は笑った。汽車は安土《あづち》あたりを走っていた」

本当に「安土あたり」を走っていたのであろう。それにしてもうまい結びであった。

この一連の作品は、いわば壮年期の試行錯誤の記録である。その間、どんな理窟を並べ立てても「自分が弱者の位置に立つ事」(『山科の記憶』)をまぬがれなかった「彼」が、それでいて、結局思い通りの行為をやり通したのであった。そして、出来事はかえって「彼」とその妻との結びつきを深くした。対立は全体として静かであった。

この一連の作品の後に、同じ素材によって「存分に作った小説」(『続創作余談』)『邦子』の書き終えられた昭和二年の夏のころまでで、直哉の第二期は終る。その時直哉は数えて四十五歳であった。

（昭和四十三年七月、国文学者）

年譜

明治十六年（一八八三年）二月二十日、宮城県牡《お》鹿《しか》郡石巻町（いまの石巻市住吉町）に、父志賀《しが》直温《なおはる》、母銀《ぎん》の次男として生まれる。兄直行《なおゆき》は、直哉出生前に満二年八カ月で夭折《ようせつ》。父は当時、第一銀行石巻支店勤務。

明治十八年（一八八五年）二歳　父母と共に東京市麹町区内幸町《こうじまちくうちさいわいちょう》の父方の祖父母の家に転居。実質的に祖父母の手で育つ。祖父直道《なおみち》は明治維新までは相馬藩《そうまはん》の二百石の武士であり、二宮尊徳《にのみやそんとく》の弟子。

明治十九年（一八八六年）三歳　芝麻布有志共立幼稚園に入園。

明治二十年（一八八七年）四歳　父は文部省の会計局より金沢の第四高等中学校（後の四高）に単身赴任。

明治二十二年（一八八九年）六歳　九月、学習院初等科に入学。

明治二十三年（一八九〇年）七歳　祖父が相馬家の家令を辞し、家政顧問となる。一家は芝区芝公園地第十七号三番の元増上寺学寮に転居。

明治二十六年（一八九三年）十歳　父は総武鉄道会社に入社。六月、旧相馬家家臣錦織《にしごり》剛清により、祖父は旧藩主毒殺の疑いで告発される。八月、他の旧藩士等と共に拘引《こういん》されたが、十月、疑いがはれて帰宅（いわゆる相馬事件）。

明治二十八年（一八九五年）十二歳　八月、母銀死去。九月、学習院中等科に進学。父は高橋浩《たかはしこう》と再婚。

明治二十九年（一八九六年）十三歳　有島《ありしま》壬生馬《みぶま》、田村寛貞、松平春光と倹友会（後、睦友会と改称）をつくり、『倹遊会雑誌』を回覧。半月、半月楼主人などの筆名使用。

明治三十年（一八九七年）十四歳　三月、異母妹英子《ふさこ》誕生。麻布区三河台町に転居。

明治三十一年（一八九八年）十五歳　中等科四年に進級の際、落第。

明治三十二年（一八九九年）十六歳　二月、異母弟直三誕生。

明治三十三年（一九〇〇年）十七歳　夏、内村鑑《うちむらかん》三《ぞう》の講習会に出席、以後七年間その許《もと》に出入りし、キリスト教に接する。

明治三十四年（一九〇一年）十八歳　五月、異母妹淑子《よしこ》誕生。六月、足尾銅山鉱毒被害地視察を計画するが、父と意見が衝突。父との関係はこの前後より悪化する。

明治三十五年（一九〇二年）十九歳　七月、中等科卒業の際、再び落第。武者小路《むしやのこうじ》実篤《さねあつ》、木下利玄《きのしたりげん》等と同級になる。

明治三十六年（一九〇三年）二十歳　学習院高等科へ進学。六月、異母妹隆子誕生。里見《さとみ》弴《とん》と交友を結ぶ。

明治三十七年（一九〇四年）二十一歳　この頃より作家を志し、五月、『菜の花』を書く。

明治三十九年（一九〇六年）二十三歳　一月、祖父死去。学習院高等科を卒業し、東京帝国大学文科大学英文学科に入学。里見弴との交際が深まる。

明治四十年（一九〇七年）二十四歳　四月、武者小路実篤、木下利玄等と「十四日会」をつくる。八月、女中との結婚を決意するが、実現せず、父との不和が深まる。

明治四十一年（一九〇八年）二十五歳　三月、木下利玄、里見弴と共に関西に遊ぶ。七月、回覧雑誌「望野」を始めた。『網走《あばしり》まで』等を執筆。十一月、異母妹昌子誕生。この年、英文学科より国文学科へ転科する。

明治四十二年（一九〇九年）二十六歳　『鳥尾の病気』などを執筆。

明治四十三年（一九一〇年）二十七歳　四月、「望野」の同人武者小路実篤、木下利玄、正親町公和《おおぎまちきんかず》、「麦」の同人里見弴、児島喜久雄《こじまきくお》、園池公致《そのいけきんゆき》、日下《くさか》諗《しん》、「桃園」の同人柳宗悦《やなぎむねよし》、郡虎彦《こおりとらひこ》、及び有島武郎《たけお》、有島壬生馬等と合同して、同人雑誌「白樺《しらかば》」を創刊。四月、『網走まで』、六月、『剃刀』を「白樺」に発表。この年、東京帝国大学を退学。十二月、千葉県市川鴻台《いちかわこうのだい》砲兵第十六連隊に入営したが、耳の疾患により常後備役免除となる。

明治四十四年（一九一一年）二十八歳　旧作の『鳥尾の病気』『無邪気な若い法学士』『濁った頭』を改稿して、「白樺」に発表。

明治四十五年・大正元年（一九一二年）二十九歳　一月、異母妹禄子誕生。九月、『大津順吉』を「中央公論」に発表。初めて原稿料百円を受け取る。父との不和により、尾道に住み、『時任謙作《ときとうけんさく》』（『暗夜行路』の前身）の執筆を始めた。十二月、帰京。

大正二年（一九一三年）　三十歳　一月、尾道に戻る。『清兵衛と瓢簞《ひょうたん》』を「読売新聞」に発表。四月、尾道より帰京。八月、山手線にはねられ重傷。十月、『范《はん》の犯罪』を「白樺」に発表。

『留女《るめ》』処女短編集（一月、洛陽堂刊）

大正三年（一九一四年）　三十一歳　六月、里見弴と松江に住む。九月、京都に移る。十二月、武者小路実篤の従妹《いとこ》、勘解由小路《かでのこうじ》資承《すけこと》の娘康子《さだこ》と結婚。

大正四年（一九一五年）　三十二歳　九月、我孫子《あびこ》弁天山に移る。

大正五年（一九一六年）　三十三歳　六月、長女慧子《さとこ》誕生、生後五十六日で死去。

大正六年（一九一七年）　三十四歳　五月、『城の崎《きのさき》にて』（「白樺」）、六月、『佐々木の場合』（「黒潮」）、八月、『好人物の夫婦』（「新潮」）、九月、『赤西蠣太《あかにしかきた》の恋』（「新小説」。後に『赤西蠣太』と改題）、十月、『和解』（「黒潮」）を発表。父との和解成立。七月、次女留女子《るめこ》誕生。

『大津順吉』新進作家叢書（六月、新潮社刊）

大正七年（一九一八年）　三十五歳

『夜の光』短編集（一月、新潮社刊）

『或る朝』新興文芸叢書（四月、春陽堂刊）

大正八年（一九一九年）　三十六歳　四月、『流行感冒と石』（後に『流行感冒』と改題）を「白樺」十周年記念号に、『憐《あわ》れな男』（後に『暗夜行路』前編の終章となる）を「中央公論」に発表。六月、長男直康《なおやす》誕生、生後二十七日で死去。

『和解』代表的名作選集（四月、新潮社刊）

大正九年（一九二〇年）　三十七歳　一月、『小僧の神様』（「白樺」）、『謙作の追憶』（「新潮」。後に『暗夜行路』の序詞となる）を発表。『或る男、其姉《その》の死』を「大阪毎日新聞」に連載。二月、『雪の日』（「読売新聞」）、四月、『山の生活にて』（「改造」。後に『焚火《たきび》』と改題）を発表。五月、三女寿々子《すずこ》誕生。九月、『真鶴《まなづる》』（「中央公論」）を発表。

大正十年（一九二一年）　三十八歳　一月、『暗夜行路』（前編）を「改造」に連載。八月、祖母死去。

『荒絹』短編集（二月、春陽堂刊）

改訂版『或る朝』新興文芸叢書（六月、春陽堂刊）

大正十一年（一九二二年）　三十九歳　一月、四女万亀子《まきこ》誕生。『暗夜行路』（後編）を「改造」（一月―三月、八月―十月、十二年一月、十五年十一月―昭和二年三月、九月―三年一月、六月、十二年四月）に断続的に連載。

『寿々』直哉傑作選集（四月、改造社刊）

『暗夜行路』前編（七月、新潮社刊）

大正十二年（一九二三年）　四十歳　三月、京都市上京区粟田口《あわたぐち》三条坊に移る。九月、関東大震災後見舞のため上京。「白樺」は震災を機に廃刊（八月号まで）。十月、京都郊外山科《やましな》に移る。

大正十三年（一九二四年）　四十一歳　一月、『雨蛙』を「中央公論」に発表。

大正十四年（一九二五年）　四十二歳　一月、『濠端《ほりばた》の住まい』を「不二」に発表。四月、奈良市幸町に転居。五月、次男直吉《なおきち》誕生。

『雨蛙』短編集（四月、改造社刊）

大正十五年・昭和元年（一九二六年）　四十三歳　一月、『山科の記憶』を「改造」に、四月、『痴情』を「改造」に発表。六月、座右宝《ざうほう》刊行会を創設し、美術図録『座右宝』を刊行。

『志賀直哉集』現代小説全集（二月、新潮社刊）

昭和二年（一九二七年）　四十四歳　九月、エッセイ『沓掛《くつかけ》にて―芥川君のこと―』を「中央公論」に発表。十月、『邦子』を「文藝春秋」（十一月完結）に連載。

『山科の記憶』短編集（五月、改造社刊）

昭和三年（一九二八年）　四十五歳　七月、エッセイ『創作余談』を「改造」に発表。

『志賀直哉集』現代日本文学全集（七月、改造社刊）

昭和四年（一九二九年）　四十六歳　一月、『豊年虫』を「週刊朝日」に、『雪の遠足』を「婦女界」に発表。二月、父死去。四月、奈良市上高畑に家を新築して転居。十月、五女田鶴子《たずこ》誕生。十二月、満鉄の招待で、里見弴と共に一カ月余り、満州・北支を旅行する。

昭和六年（一九三一年）　四十八歳　小林多喜二《こばやしたきじ》と書簡の往返があり、十一月、多喜二の訪問を受けた。

『志賀直哉全集』大判一冊本（六月、改造社刊）

昭和七年（一九三二年）　四十九歳　十一月、六女貴美子《きみこ》誕生。このころ、捕えられ、のち死去した小林多喜二の母に手紙を書く。

昭和八年（一九三三年）五十歳　九月、『万暦赤絵』を「中央公論」に発表。

昭和九年（一九三四年）五十一歳　四月、『日記帖』（後に『菰野《こもの》』と改題）を「改造」に発表。

昭和十年（一九三五年）五十二歳　三月、義母死去。五月、胆石症を患《わずら》い、一旦回復したが、十二月、再発し、翌年にかけ苦しんだ。

昭和十一年（一九三六年）五十三歳　五月、『赤西蠣太』が、伊丹万作《いたみまんさく》脚色・監督により映画化。

『志賀直哉の手紙』書簡集（三月、山本書店刊）

『万暦赤絵』短編集（十一月、中央公論社刊）

昭和十二年（一九三七年）五十四歳　四月、『暗夜行路』後編の残りを「改造」に発表、完成。

『志賀直哉全集』全九巻（九月—十三年六月、改造社刊）

昭和十三年（一九三八年）五十五歳　四月、奈良から東京市淀橋《よどばし》区諏訪《すわ》町へ転居。

昭和十四年（一九三九年）五十六歳　五月、『犬と鬼』（後に『クマ』『鬼』と改題）を「改造」に発表。六月、胆石症再発、半年近く苦しむ。一時、文士廃業を考える。

昭和十五年（一九四〇年）五十七歳　五月、東京市世田谷区新町に転居。

『映山紅』短編集（十二月、草木屋出版部刊）

『志賀直哉集』白樺叢書（十二月、河出書房刊）

昭和十七年（一九四二年）五十九歳　八月、島崎《しまざき》藤村《とうそん》、里見弴と共に小山書店刊行の季刊雑誌「八雲」の編集委員となる。

『早春』短編随筆集（七月、小山書店刊）

昭和十八年（一九四三年）六十歳

豪華本『暗夜行路』全一冊（十一月、座右宝刊行会刊）

昭和二十年（一九四五年）六十二歳　六月、瀧井《たきい》孝作《こうさく》の許より島村利正《しまむらとしまさ》と共に島村の故郷信州高遠《たかとお》に赴く。

昭和二十一年（一九四六年）六十三歳　一月、『灰色の月』を「世界」に発表。六月、翌月にかけて奈良東大寺観音院の上司海雲《かみつかさかいうん》の許に滞在。

昭和二十二年（一九四七年）六十四歳　一月、『蝕《むしば》まれた友情』を「世界」（四月完結）に連載。二月、日本ペンクラブ会長に就任（二十三年六月辞任）。

『蝕まれた友情』（七月、全国書房刊）

昭和二十三年（一九四八年）六十五歳　一月、妻、六女貴美子と三人で静岡県熱海市稲村大洞台《おおほらだい》に転居。

『翌年』短編・エッセイ集（三月、小山書店刊）

昭和二十四年（一九四九年）六十六歳　十一月、文化勲章を受章。

『志賀直哉選集』全八巻（十月―二十七年九月、改造社刊）

昭和二十五年（一九五〇年）六十七歳　一月、『山鳩』を「心」に、『末つ児』を「群像」に発表。

『秋風』短編集（一月、創芸社刊）

『奈良』短編集（三月、三笠書房刊）

昭和二十六年（一九五一年）六十八歳　三月、『朝の試写会』を「中央公論文芸特集号」に、十一月、『自転車』を「新潮」に発表。

『山鳩』短編集（一月、中央公論社刊）

『志賀直哉作品集』全五巻（四月―七月、創元社刊）

昭和二十七年（一九五二年）六十九歳　五月、梅原龍三郎《うめはらりゅうざぶろう》、浜田庄司《はまだしょうじ》、柳宗悦らと共に渡欧。ロンドンで、病気に罹《かか》り、八月、帰国。

昭和二十八年（一九五三年）七十歳　二月、広津和郎《ひろつかずお》、瀧井孝作、網野菊《あみのきく》等と伊豆吉奈温泉で古稀《こき》を祝う。

昭和二十九年（一九五四年）七十一歳　一月、『朝顔』を「心」に発表。

『志賀直哉文庫』全五巻（三月―三十年一月、中央公論社刊）

『朝顔』短編集（八月、中央公論社刊）

昭和三十年（一九五五年）七十二歳　五月、東京都渋谷区常磐松《ときわまつ》に家を新築して転居。

『志賀直哉全集』全十七巻（六月―三十一年二月、岩波書店刊）

昭和三十一年（一九五六年）七十三歳　一月、『祖父』を「文藝春秋」（三月完結）に、三月、『白い線』を「世界」に発表。

昭和三十二年（一九五七年）七十四歳　一月、『八手《やつで》の花』を「新潮」に、二月、『待合室』を「心」に発表。

昭和三十三年（一九五八年）七十五歳　四月、岩波映画製作、羽仁進《はにすすむ》監督の記録映画「志賀直哉」完成。

『八手の花』短編集（六月、新樹社刊）

昭和三十四年（一九五九年）七十六歳　秋、『暗夜行路』が豊田四郎監督により映画化される。

『樹下美人』図録（六月、河出書房新社刊）

昭和三十五年（一九六〇年）七十七歳　九月、瀧井孝作編集による随想、談話、座談会の集成『夕陽』を桜井書店より刊行。

昭和三十七年（一九六二年）七十九歳　八月、『東宮御所の山菜』を「婦人公論」に発表。

昭和三十八年（一九六三年）八十歳　八月、『盲亀《もうき》浮木《ふぼく》』を「新潮」に発表。

昭和四十年（一九六五年）八十二歳

『志賀直哉自選集』限定版（十一月、集英社刊）

昭和四十一年（一九六六年）八十三歳

『白い線』短編集（二月、大和書房刊）

『動物小品』限定版短編集（五月、大雅洞刊）

昭和四十四年（一九六九年）八十六歳

『志賀直哉対話集』対談集（二月、大和書房刊）

『枇杷《びわ》の花』自選集（三月、新潮社刊）

昭和四十六年（一九七一年）八十八歳　十月二十一日、関東中央病院にて死去。二十六日、青山葬斎場にて無宗教による葬儀。

昭和四十八年（一九七三年）三月、青山墓地の志賀家一族の墓所に葬る。「志賀直哉之墓」の字は、上司海雲による。

（本年譜は、諸種のものを参照して編集部で作成した。）

表記について

新潮文庫の文字表記については、原文を尊重するという見地に立ち、次のように方針を定めました。

一、旧仮名づかいで書かれた口語文の作品は、新仮名づかいに改める。
二、文語文の作品は旧仮名づかいのままとする。
三、旧字体で書かれているものは、原則として新字体に改める。
四、難読と思われる語には振仮名をつける。
五、漢字表記の代名詞・副詞・接続詞等のうち、特定の語については仮名に改める。

本書で仮名に改めた語は次のようなものです。

恰も→あたかも　屹度→きっと　此儘→このまま
流石→さすが　嘸→さぞ　併し→…しかし
…して居る→…している　…して呉れ→…してくれ　…して仕舞→…してしまう
所が→ところが　兎に角→とにかく　吃驚→びっくり
真逆→まさか　亦→また　八釜しい→やかましい

新潮文庫最新刊

今野敏著

転迷

―隠蔽捜査4―

外務省職員の殺害、悪質なひき逃げ事件、麻薬取締官との軋轢……同時発生した幾つもの難題が、大森署署長竜崎伸也の双肩に。

小池真理子著

無花果の森

芸術選奨文部科学大臣賞受賞

夫の暴力から逃れ、失踪した新谷泉。追いつめられ、過去を捨て、全てを失って絶望の中に生きる男と女の、愛と再生を描く傑作長編。

諸田玲子著

幽霊の涙

お鳥見女房

珠世の長男、久太郎に密命が下る。かつて矢島家一族に深い傷を残した陰働きだ。家族の情愛の深さと強さを謳う、シリーズ第六弾。

小川糸著

あつあつを召し上がれ

恋人との最後の食事、今は亡き母にならったみそ汁のつくり方……。ほろ苦くて温かな、忘れられない食卓をめぐる七つの物語。

藤原正彦著

ヒコベエ

貧しくても家族が支え合い、励まし合い、近隣が助け合い、生きていたあの頃。美しい信州諏訪の風景と共に描く、初の自伝的小説。

夢枕獏著

魔獣狩りII 暗黒編

邪教に仕える獣人への復讐に燃える拳鬼、文成仙吉は、奇僧・美空、天才精神ダイバー・九門と遂に邂逅する。疾風怒濤の第二章。

小僧《こぞう》の神様《かみさま》・城《き》の崎《さき》にて

新潮文庫　し－1－5

昭和四十三年七月三十日 発行
平成十七年四月十五日 六十七刷改版
平成二十六年四月二十五日 八十一刷

著者 志《し》賀《が》直《なお》哉《や》

発行者 佐藤隆信
発行所 株式会社 新潮社
郵便番号 一六二―八七一一
東京都新宿区矢来町七一
電話 編集部(〇三)三二六六―五四四〇
読者係(〇三)三二六六―五一一一
http://www.shinchosha.co.jp
価格はカバーに表示してあります。
乱丁・落丁本は、ご面倒ですが小社読者係宛ご送付ください。送料小社負担にてお取替えいたします。

印刷・二光印刷株式会社　製本・株式会社植木製本所

ISBN978-4-10-103005-0 C0193